한눈에 정리되는 이미지 영문법

GRAMMAR CAPTURE

그래머 캡처 1

부정사·동명사·분사편

그래머 캡처 1 (부정사 동명사 분사편)

지은이 넥서스영어교육연구소
펴낸이 임상진
펴낸곳 (주)넥서스

출판신고 1992년 4월 3일 제311-2002-2호 ①
10880 경기도 파주시 지목로 5
Tel (02)330-5500 Fax (02)330-5555

ISBN 979-11-6165-200-9 (54740)
979-11-6165-199-6 (SET)

가격은 뒤표지에 있습니다.
잘못 만들어진 책은 구입처에서 바꾸어 드립니다.

www.nexusbook.com

단기완성 영문법 특강

한눈에 정리되는 이미지 영문법

GRAMMAR CAPTURE

그래머 캡처 1

넥서스영어교육연구소 지음

부정사·동명사·분사편

NEXUS Edu

GRAMMAR
CAPTURE 1

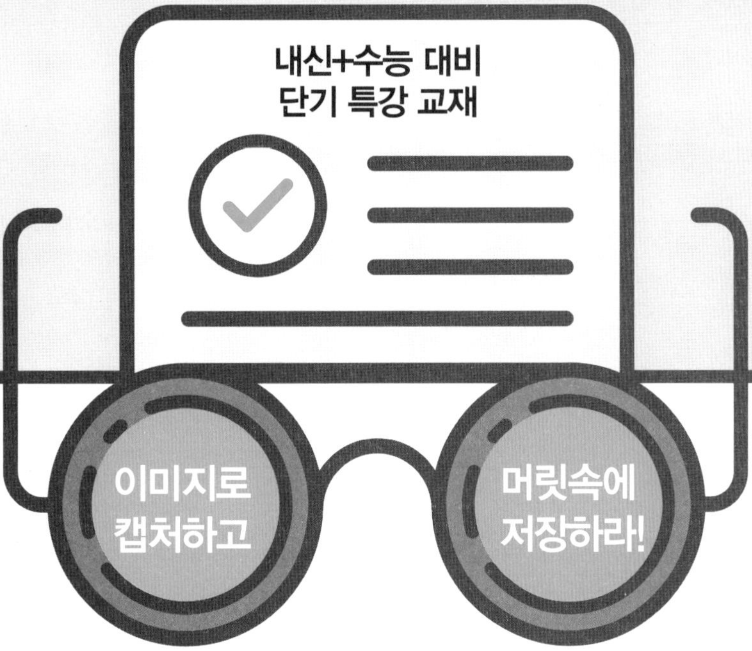

그래머 캡처 시리즈는 ...

+ **중 · 고등학교 필수 영문법**을 심층적으로 다룹니다.
+ **특정 문법 영역으로 구분**되어 있어 선택적으로 학습할 수 있습니다.
+ 단기간에 마무리 할 수 있게 구성되어 **단기 특강용으로 적합합니다.**
+ **필수 문법 포인트를 예문으로 시각화**하여 내용 이해를 쉽게 돕습니다.
+ **문제풀이식 예문**을 통해 학습 효과를 증대시킵니다.
+ 내신 서술형 및 수능 어법 문제로 「**내신+수능**」**을 한번에** 잡을 수 있습니다.
+ **기출 변형 문제**로 실전 문제풀이 훈련을 할 수 있습니다.
+ **서술형 대비 워크북**을 통해 **문법/어법/독해/쓰기**의 기본기를 다집니다.
+ **추가로 제공되는 모바일 단어장과 문법 포인트 갤러리**로 언제 어디서든 예습/복습이 가능합니다.

FEATURES

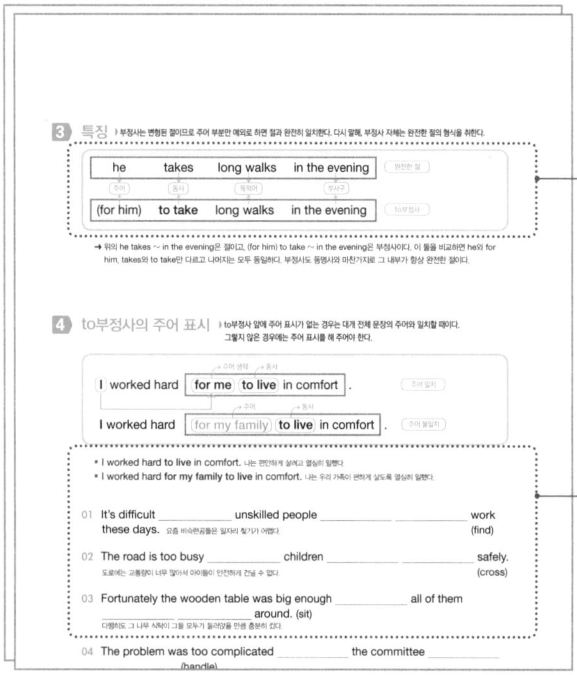
3 특징 ▸부정사는 변형된 절이므로 주어 부분만 예외로 하면 절과 완전히 일치한다. 다시 말해, 부정사 자체는 완전한 절의 형식을 취한다.

he	takes	long walks	in the evening	완전한 절
주어	동사	목적어	부사구	
(for him)	to take	long walks	in the evening	to부정사

→ 위의 he takes ~ in the evening은 절이고, (for him) to take ~ in the evening은 부정사이다. 이 둘을 비교하면 he와 for him, takes와 to take만 다르고 나머지는 모두 동일하다. 부정사도 동명사와 마찬가지로 그 내부가 항상 완전한 절이다.

4 to부정사의 주어 표시 ▸to부정사 앞에 주어 표시가 없는 경우는 대개 전체 문장의 주어와 일치할 때이다. 그렇지 않은 경우에는 주어 표시를 해 주어야 한다.

I worked hard for me to live in comfort. (주어 생략, 동사) 주어 일치

I worked hard for my family to live in comfort. (주어, 동사) 주어 불일치

- I worked hard to live in comfort. 나는 편안하게 살려고 열심히 일했다.
- I worked hard for my family to live in comfort. 나는 우리 가족이 편하게 살도록 열심히 일했다.

01 It's difficult ______ unskilled people ______ ______ work these days. (find) 요즘 비숙련공들은 일자리 찾기가 어렵다.

02 The road is too busy ______ children ______ ______ safely. (cross) 도로에는 교통량이 너무 많아서 아이들이 안전하게 건널 수 없다.

03 Fortunately the wooden table was big enough ______ all of them ______ ______ around. (sit) 다행히도 그 나무 식탁이 그들 모두가 둘러앉을 만큼 충분히 컸다.

04 The problem was too complicated ______ the committee ______ (handle)

시각화된 문법 포인트

필수 문법 포인트가 도식화되어 있어 한눈에 쉽게 핵심 문법을 파악하고 오랫동안 기억할 수 있습니다.

문제화된 예문

예문을 그냥 읽고 끝나는 것이 아니라, 직접 빈칸을 채우거나 알맞은 답을 선택하도록 하여 학습 효과를 높였습니다.

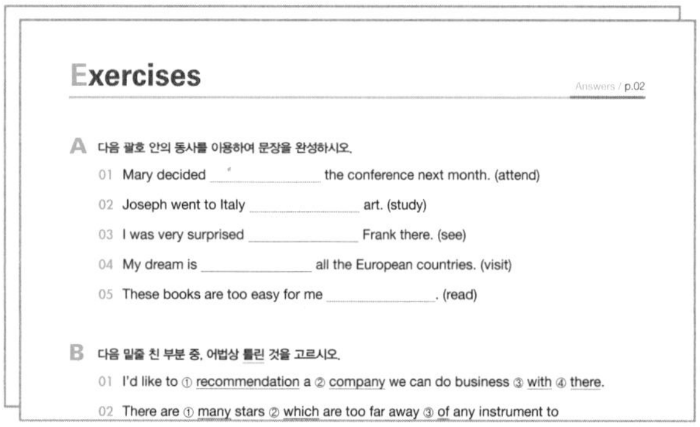
Exercises

Answers / p.02

A 다음 괄호 안의 동사를 이용하여 문장을 완성하시오.

01 Mary decided ______ the conference next month. (attend)

02 Joseph went to Italy ______ art. (study)

03 I was very surprised ______ Frank there. (see)

04 My dream is ______ all the European countries. (visit)

05 These books are too easy for me ______. (read)

B 다음 밑줄 친 부분 중, 어법상 틀린 것을 고르시오.

01 I'd like to ① recommendation a ② company we can do business ③ with ④ there.

02 There are ① many stars ② which are too far away ③ of any instrument to

내신 서술형 문제 / 수능 어법 문제 대비 Exercises

내신 서술형 문제로 자주 나오는 다양한 문제풀이를 통해 내신 대비는 물론, 수능 어법 문제풀이를 통해 수능 대비까지도 한번에 가능합니다.

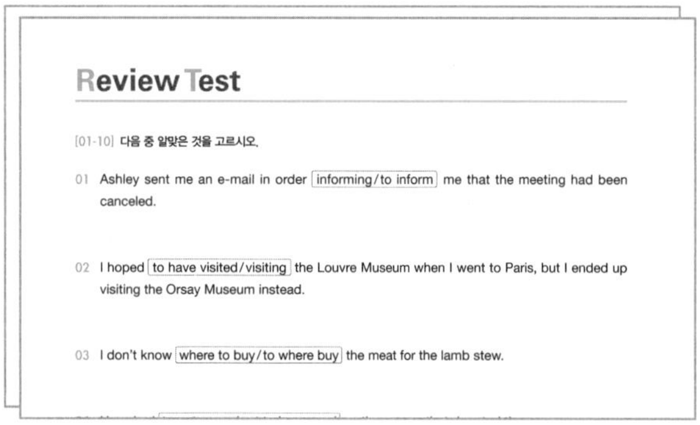
Review Test

[01-10] 다음 중 알맞은 것을 고르시오.

01 Ashley sent me an e-mail in order [informing / to inform] me that the meeting had been canceled.

02 I hoped [to have visited / visiting] the Louvre Museum when I went to Paris, but I ended up visiting the Orsay Museum instead.

03 I don't know [where to buy / to where buy] the meat for the lamb stew.

Review Test

각 Part에서 배운 내용을 수능 어법 기출 변형 문제를 통해 종합적으로 점검하며 복습할 수 있습니다.

수능따라잡기 Answers / p.05

01 다음 글의 밑줄 친 부분 중, 어법상 틀린 것은? 기출 변형

If we get into a routine, we don't need to use precious energy every day prioritizing everything. We must simply use a small amount of initial energy to create the routine, and then all we have to do is ① follow it. There is a huge body of scientific research ② to explain how routine makes difficult things ③ becoming easy. One simplified explanation is that as we do a certain task again and again the neurons, or nerve cells, make new connections through communication gateways called 'synapses.' With repetition, the connections become stronger and it becomes easier for the brain ④ to activate them. For instance, when you learn a new word, it takes several repetitions to master the word. In order to recall the word later you will have to activate the same synapses until eventually you know the word without trying ⑤ to think about it.

• 수능따라잡기

최신 기출 변형 문제들을 통해 실제 수능 어법 문제에 완벽히 대비할 수 있습니다.

Let's Recap

1 to부정사의 형태와 특징 › to+동사원형

2 to부정사의 명사 역할 › 목적어, 주어, 보어

- Mike **started** to learn French last year. ⟨목적어⟩
- To walk alone at night **is** dangerous. ⟨주어⟩
  = **It** is dangerous to walk alone at night. (to부정사가 주어일 때, 대개 가주어 it으로 대체)
- My dream **is** to marry Julia and start a family. ⟨보어⟩

3 to부정사의 형용사 역할 › 「명사+to부정사」의 형태로 명사 수식

- I have plenty of **books** to read.

4 to부정사의 부사 역할

- My kids went to the zoo (in order/so as) to see pandas. ⟨목적⟩
- The cat lived to be twenty years old. ⟨결과⟩

• Let's Recap

각 Part에서 배운 핵심 문법 포인트를 간략히 정리하여 Summary Note로 활용할 수 있습니다.

LESSON 01 to부정사의 형태와 특징 Answers / p.12

A 주어진 말을 어법에 맞게 바꿔 문장을 완성하시오.

01 She didn't agree ______ help from the boss. (seek)
02 The refugees hope ______ down in this area. (settle)
03 They planned ______ out for dinner tonight. (go)
04 It was difficult for the children ______ the test before lunch. (finish)
05 The guests were shocked ______ the news. (hear)
06 They have many rules ______ in school. (follow)

B 우리말과 같은 뜻이 되도록 주어진 말을 이용하여 문장을 완성하시오.

• 서술형 대비 Workbook

다양한 유형의 서술형 문제들을 풀어봄으로써 학습한 내용을 완벽히 이해하고, 어법은 물론 독해 및 쓰기의 기본기를 다질 수 있습니다.

추가 제공 자료(www.nexusbook.com)

- 어휘 리스트 & 테스트지
- 통문장 영작 테스트지
- 통문장 해석 테스트지
- 동사·비교급 변화표 & 테스트지
- 문법 용어집

모바일단어장
문법 포인트 갤러리
추가 제공

Contents

부정사·동명사·분사편

GRAMMAR CAPTURE ❷

접속사 · 관계사 · 기타 구문편

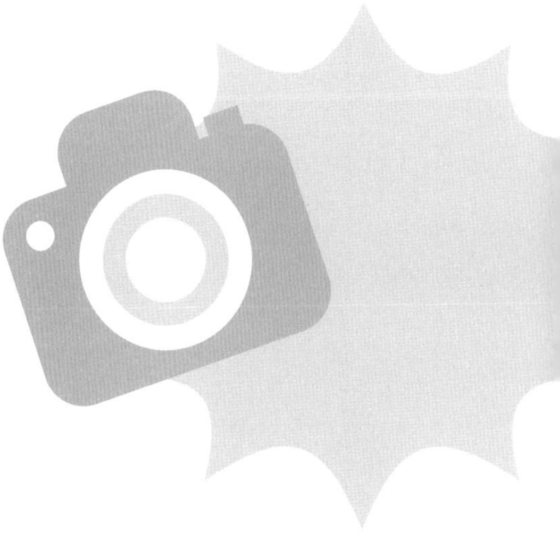

PART 1

부정사

LESSON 01

to부정사의 형태와 특징

1 to부정사의 형태 ▸ to부정사는 「to+동사원형」의 형태이다.

to take	long walks in the evening
to lend	me some money

→ 「to+동사원형」으로 시작

- He has decided **to take** long walks in the evening. 그는 저녁에 오랫동안 산책을 하기로 결정했다.
- They agreed **to lend** me some money. 그들은 나에게 돈을 빌려 주기로 했다.

2 to부정사 만들기 ▸ 절에서 동사를 「to+동사원형」으로 바꾸면 부정사가 된다. 주어는 「for+목적격」으로 바뀌지만 대개 생략된다.

he takes long walks in the evening — 완전한 절

(for him) to take long walks in the evening — to부정사

❶ 동사 takes가 to take(to+동사원형)로 바뀐다.
❷ 주어 he가 for him(for+목적격)으로 바뀐다. (주어가 같을 때에 대개 생략)

01 As it was late, we decided ____________ ____________ a taxi home. (take)
너무 늦어서 우리는 택시 타고 집으로 가기로 했다. └ we took a taxi home

02 She called me ____________ ____________ me to a party. (invite)
그 여자는 나를 파티에 초대하려고 전화했다. └ she invited me to a party

03 There is no reason ____________ ____________ that the earth will end in 500 years. (believe)
지구가 500년 후에 끝날 것이라고 믿을 근거는 없다. └ we believe that the earth will end in 500 years

04 They hoped ____________ ____________ the fireworks at the beach. (watch)
그들은 해변에서 불꽃놀이를 보기를 희망했다. └ they watched the fireworks at the beach

01 to take 02 to invite 03 to believe 04 to watch

3 특징

▸ 부정사는 변형된 절이므로 주어 부분만 예외로 하면 절과 완전히 일치한다. 다시 말해, 부정사 자체는 완전한 절의 형식을 취한다.

he	takes	long walks	in the evening	완전한 절
주어	동사	목적어	부사구	
(for him)	**to take**	long walks	in the evening	to부정사

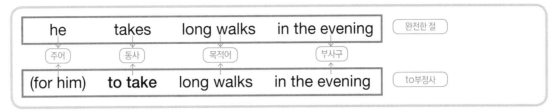

➜ 위의 he takes ~ in the evening은 절이고, (for him) to take ~ in the evening은 부정사이다. 이 둘을 비교하면 he와 for him, takes와 to take만 다르고 나머지는 모두 동일하다. 부정사도 동명사와 마찬가지로 그 내부가 항상 완전한 절이다.

4 to부정사의 주어 표시

▸ to부정사 앞에 주어 표시가 없는 경우는 대개 전체 문장의 주어와 일치할 때이다. 그렇지 않은 경우에는 주어 표시를 해 주어야 한다.

	주어 생략	동사		
I worked hard	for me	to live	in comfort.	주어 일치
	주어	동사		
I worked hard	for my family	to live	in comfort.	주어 불일치

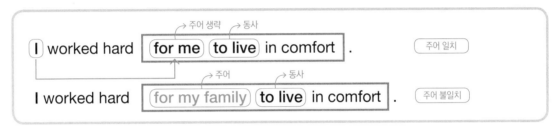

- I worked hard **to live** in comfort. 나는 편안하게 살려고 열심히 일했다.
- I worked hard **for my family to live** in comfort. 나는 우리 가족이 편하게 살도록 열심히 일했다.

01 It's difficult ____________ unskilled people ____________ ____________ work these days. (find)
요즘 비숙련공들은 일자리 찾기가 어렵다.

02 The road is too busy ____________ children ____________ ____________ safely. (cross)
도로에는 교통량이 너무 많아서 아이들이 안전하게 건널 수 없다.

03 Fortunately the wooden table was big enough ____________ all of them ____________ ____________ around. (sit)
다행히도 그 나무 식탁이 그들 모두가 둘러앉을 만큼 충분히 컸다.

04 The problem was too complicated ____________ the committee ____________ ____________. (handle)
그 문제는 위원회가 감당하기에는 너무 복잡했다.

01 for, to find 02 for, to cross 03 for, to sit 04. for, to handle

Exercises

Answers / p.02

A 다음 괄호 안의 동사를 이용하여 문장을 완성하시오.

01 Mary decided ______________ the conference next month. (attend)

02 Joseph went to Italy ______________ art. (study)

03 I was very surprised ______________ Frank there. (see)

04 My dream is ______________ all the European countries. (visit)

05 These books are too easy for me ______________. (read)

B 다음 밑줄 친 부분 중, 어법상 틀린 것을 고르시오.

01 I'd like to ① recommendation a ② company we can do business ③ with ④ there.

02 There are ① many stars ② which are too far away ③ of any instrument to ④ detect.

03 She ① advised me ② telling the police ③ about ④ the accident.

04 The shop ① provides baskets ② for customers ③ put their ④ purchases in.

05 I can't ① afford ② go on ③ holiday ④ this summer.

C 다음 주어진 단어를 이용하여 조건에 맞게 영작하시오.

조건 ① 필요 시 단어를 추가 및 변형할 것 ② 10단어 이하로 쓸 것 ③ to부정사를 쓸 것

01 Bill은 그 버스를 타려고 일찍 떠났다. (leave, early, catch)

→ ______________________________

02 나는 이 과정을 빨리 끝내기를 희망한다. (hope, finish, course, quickly)

→ ______________________________

03 그 유명인사는 우리와 사진을 찍는 것에 동의했다. (celebrity, agree, have a picture taken)

→ ______________________________

04 그 비서는 그 회의에 대해 내게 알려주려고 전화했다. (secretary, call, remind, about, meeting)

→ ______________________________

05 나의 할아버지는 강에서 낚시하는 것을 좋아하신다. (grandfather, like, fish, in the river)

→ ______________________________

LESSON 02

to부정사의 명사 역할

1 기본 개념 ▸to부정사는 문장 속에서 목적어, 주어, 보어로 쓰인다. 이를 명사 역할이라 한다.

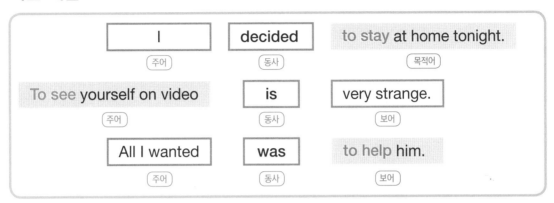

I (주어)	decided (동사)	to stay at home tonight. (목적어)
To see yourself on video (주어)	is (동사)	very strange. (보어)
All I wanted (주어)	was (동사)	to help him. (보어)

- I decided **to stay** at home tonight. 〈목적어〉
  나는 오늘 밤 집에 있기로 결정했다.
- **To see** yourself on video is very strange. 〈주어〉
  화면 속의 자신의 모습을 보는 것은 매우 이상하다.
- All I wanted was **to help** him. 〈보어〉
  내가 원한 것은 그를 돕는 것뿐이었다.

01 I expect ____________ ____________ my money back. (get)
나는 돈을 돌려받을 것으로 기대한다.

02 ____________ ____________ middle school students needs patience. (teach)
중학생들을 가르치는 것은 인내가 필요하다.

03 The best thing would be for you ____________ ____________ the truth. (tell)
가장 좋은 것은 네가 진실을 말하는 것이다.

2 특징

1) 목적어 ▸to부정사는 아래와 같은 특정한 동사 뒤에서 목적어로 쓰인다.

afford 여유가 되다	agree 동의하다	arrange 주선하다	attempt 시도하다	decide 결정하다
expect 예상하다	fail 실패하다	hope 희망하다	offer 제안하다	plan 계획하다
promise 약속하다	refuse 거절하다	threaten 협박하다	tend 경향이 있다	pretend ~인 척하다
manage 간신히 해내다				

04 Luckily I managed ____________ ____________ my way here. (find)
다행히 이곳으로 오는 길을 찾을 수 있었다.

05 We can't afford ____________ ____________ to Australia. (go)
우리는 호주에 갈 경제적 여유가 없다.

01 to get 02 To teach 03 to tell 04 to find 05 to go

2) 주어 ▶ to부정사가 주어로 쓰인 경우는 대개 it으로 대체한다.

To see yourself on video is very strange.

(이동)

It is very strange to see yourself on video.

(가주어 it 추가)

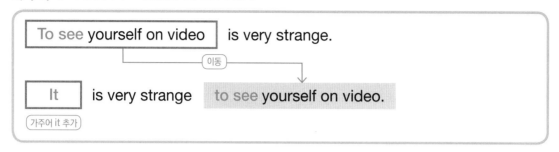

01 ____________ isn't difficult ____________ ____________ this model car. (fix)

=To fix this model car isn't difficult.

이 모형자동차를 고치는 것은 어렵지 않다.

Keep in Mind

(1) to부정사는 동명사와는 달리 전치사의 목적어로는 쓰이지 못한다.

The thief broke into the building without **being seen**. (O) 그 도둑은 들키지 않고 건물로 침입했다.

The thief broke into the building without **to be seen**. (X)

(2) to부정사는 5형식(주어+동사+목적어+목적격 보어)의 목적어로 쓰일 때 가목적어 it과 함께 쓰여야 한다.

The facilities make **living here** convenient. (O) 그 시설들은 이곳에서의 생활을 편리하게 만든다.

The facilities make it convenient **to live here**. (O)

The facilities make **to live here** convenient. (X)

3) 의문사+to부정사 ▶ 명사 역할을 하며 주로 목적어로 쓰인다.

what to부정사	무엇을 ~해야 할지	how to부정사	어떻게 ~해야 할지
when to부정사	언제 ~해야 할지	where to부정사	어디로(어디에서)~해야 할지

02 I don't know ____________ ____________ ____________ to the party. (wear)

= I don't know what I should wear to the party.

그 파티에 무엇을 입고 가야 할지를 모르겠다.

03 Matthew wants to know ____________ ____________ ____________ the computer. (work)

Matthew는 컴퓨터를 어떻게 작동해야 하는지를 알고 싶어 한다.

04 Melanie wasn't sure ____________ ____________ ____________ the doctor or not. (ask)

Melanie는 의사에게 물어봐야 할지 말아야 할지에 대해 확신이 없었다.

cf 「if+to부정사」와 「why+to부정사」의 표현은 없다.

01 It, to fix 02 what to wear 03 how to work 04 whether to ask

Exercises

Answers / p.02

A 다음 중 알맞은 것을 고르시오.

01 The student refused [staying/to stay] after class.

02 [It/That] is impossible to lift these heavy boxes.

03 Can you tell me when [to call/calling] him?

04 My plan is [finish/to finish] writing this report by tomorrow.

B 다음 두 문장이 같은 뜻이 되도록 빈칸을 알맞은 말로 채우시오.

01 Please teach me how I should play the guitar.
= Please teach me ________ ________ ________ the guitar.

02 To read comic books is fun.
= ________ is fun ________ ________ comic books.

03 He doesn't know what to do next.
= He doesn't know what ________ ________ ________ next.

04 James hopes that he can pass the exam.
= James hopes ________ ________ the exam.

C 다음 주어진 단어를 이용하여 조건에 맞게 영작하시오.

조건 ① 필요 시 단어를 추가 및 변형할 것 ② to부정사를 쓸 것

01 우리의 부모님을 기쁘게 하는 것은 어렵다. (difficult, please, parents)

→ ________________________________

02 나는 그를 어디서 찾아야 할지 몰랐다. (know, where, find)

→ ________________________________

03 Mike는 집에 늦게 오는 경향이 있다. (tend, get home)

→ ________________________________

04 나의 친구들은 내 생일 파티에 오기로 약속했다. (promise, come, birthday party)

→ ________________________________

05 그의 일은 아픈 아이들을 돌보는 것이다. (job, look after, sick, child)

→ ________________________________

LESSON 03

to부정사의 형용사 역할

1 기본 형태

▶「명사+to부정사」의 형태로 쓰인다. to부정사가 명사를 뒤에서 수식하는 형용사 역할을 한다.

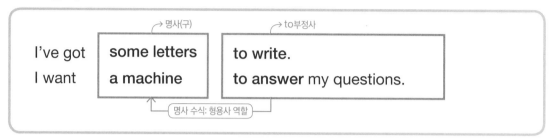

	명사(구)	to부정사
I've got	**some letters**	**to write.**
I want	**a machine**	**to answer** my questions.

명사 수식: 형용사 역할

- I've got some letters **to write.** 나는 써야 할 몇 장의 편지가 있다.
- I want a machine **to answer** my questions. 나는 내 질문에 응답하는 기계를 원한다.

2 특징

1) 명사와 to부정사의 관계

▶to부정사 앞의 명사는 대개 그 to부정사의 주어나 목적어 역할을 하며 동격인 경우도 있다.

I've got some letters to write.
→ (I) write some letters (some letters가 목적어)

I want a machine to answer my questions.
→ a machine answers my questions (a machine이 주어)

Our decision = to wait was wise. (our decision과 wait은 동격)
기다리겠다는 우리의 결정은 현명했다.

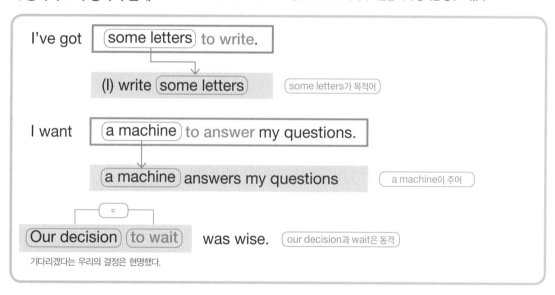

01 We need some scissors ________ ________ the paper. (cut)
우리는 종이를 자를 가위가 필요하다.
└ some scissors cut the paper <some scissors가 주어>

02 Would you like something ________ ________? (read)
너는 읽을 것을 원하니?
└ like to read something <something이 목적어>

03 He has one aim ________ ________ in life. (succeed)
그는 인생에서 성공한다는 단 하나의 목적을 가지고 있다.
└ one aim = to succeed <aim과 동격을 이룸>

01 to cut 02 to read 03 to succeed

2) to부정사의 수식을 받는 명사들

ability 능력	ambition 야망	anxiety 불안	attempt 시도	decision 결정	desire 갈망
effort 노력	failure 실패	intention 의도	need 욕구	plan 계획	promise 약속
refusal 거절	wish 소망	first, second ... 첫 번째, 두 번째 ...			

- She has got a remarkable ability **to get** things done. (O) 그 여자는 일을 처리하는 놀라운 능력을 갖고 있다.
- She has got a remarkable ability ~~of getting~~ things done. (X)

01 The Prime Minister's decision ________ ________ was welcomed by the opposition. 사임하겠다는 수상의 결정은 야당에 의해 환영을 받았다. (resign)

02 Amelia Earhart is the first woman ________ ________ across the Atlantic. (fly)
Amelia Earhart는 대서양을 횡단 비행한 최초의 여성이다.

3) 전치사+관계대명사+to부정사

▶ 형용사 역할의 to부정사가 전치사로 끝날 경우 그 전치사는 관계사와 함께 to부정사 앞으로 나갈 수 있다.

This is a house **to live** in. 이것이 살 집이다.

This is a house in which **to live**.

→ to live in은 a house를 수식하는 형용사 역할의 to부정사이다. to부정사가 전치사 in으로 끝나고 앞의 a house는 in의 목적어이다. 이런 경우는 in을 관계대명사와 함께 to부정사 앞으로 보낼 수 있다.

03 I need a pencil to write with.
= I need a pencil ________ which ________ ________.
나는 쓸 연필이 하나 필요하다.

04 John is the only man to depend on.
= John is the only man ________ whom ________ ________.
John은 믿을 수 있는 유일한 사람이다.

05 Mom bought a crystal vase to put flowers in.
= Mom bought a crystal vase ________ which ________ ________ flowers.
엄마는 꽃을 넣을 크리스털 꽃병을 하나 사셨다.

01 to resign 02 to fly 03 with, to write 04 on, to depend 05 in, to put

Exercises

Answers / p.02

A 다음 밑줄 친 부분 중, 어법상 틀린 것을 고르시오.

01 My ① decision ② abandoning the ship was ③ supported by ④ all of the crew members.

02 I can't ① get off now ② because I've got ③ some problems ④ taken care of.

03 Ms. Jacobs ① became the first woman ② be ③ elected ④ mayor of this city.

04 ① Only ② a few scientists ③ have the ability ④ of resolving this dilemma.

05 Cats can ① go days ② without any food ③ to eat ④ with.

B 다음 문장에서 어법상 틀린 부분을 찾아 바르게 고치시오.

01 Meg is looking for a friend to spend time.

02 I hope there is something for eat in the fridge.

03 Our attempt rescuing the people didn't go as planned.

04 The students needed a piece of paper to write with.

C 다음 주어진 단어를 이용하여 조건에 맞게 영작하시오.

조건 ① 필요 시 단어를 추가 및 변형할 것 ② 동명사를 쓸 것 ③ 시제에 유의할 것

01 그녀는 바닥을 쓸 빗자루가 필요했다. (broom, sweep the floor, with)

→ ____________________

02 나를 놀라게 하려는 너의 의도는 상당히 뻔하다. (intention, surprise, quite obvious)

→ ____________________

03 나에게 마실 것을 가져다주겠니? (can, bring, something, drink)

→ ____________________

04 그는 돈을 빌릴 사람이 아무도 없다. (have, anyone, borrow, from)

→ ____________________

05 Jeremy는 밴드를 결성하고자 하는 자신의 강한 갈망을 표출했다. (express, desire, form a band)

→ ____________________

LESSON

04 to부정사의 부사 역할

1 목적

부사의 역할 중 가장 기본적인 역할이 동사/문장 수식이다. to부정사도 이 역할을 하는데 이때에는 '~하기 위하여' 라는 목적의 의미를 갖는다. to부정사 앞에 in order나 so as를 추가해서 많이 쓴다.

수식

I [am going out] [to do some shopping].

am going out → 동사 / to do some shopping → 목적: ~하기 위해서

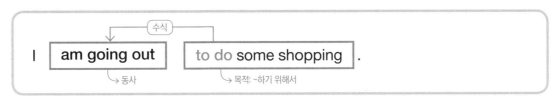

- I'm going out **to do** some shopping. 나는 쇼핑하기 위해 외출할 것이다.
  = I'm going out **in order to do** some shopping.
  = I'm going out **so as to do** some shopping.

01 She's saving up __________ __________ a motor bike. (buy)
그녀는 오토바이를 사기 위해 저축하고 있다.

02 I went to a restaurant __________ __________ some lunch. (have)
나는 점심을 먹기 위해 음식점으로 갔다.

03 I went to Paris __________ __________ __________ __________ French. (order, learn)
나는 불어를 배우기 위해 파리로 갔다.

04 We left early __________ __________ __________ __________ plenty of time. (so, have)
우리는 충분한 시간을 갖기 위해 일찍 떠났다.

05 __________ __________ bricks, workers press clay into blocks and bake them. (make)
벽돌을 만들기 위해 일꾼들은 점토를 블록으로 뭉쳐 만들어 그것을 굽는다.

2 결과

to부정사가 앞 뒤 문맥상 결과를 나타낼 때는 '~해서 그 결과로 ...하다' 로 해석한다.

He [worked hard] only [to fail]. 그는 열심히 일했지만 실패했다.

worked hard → 동사 / to fail → 결과 및 나중에 일어난 일

06 The drunken man awoke __________ __________ himself in a ditch. (find)
그 술 취한 사람은 깨어나서 자기가 도랑에 있음을 발견했다.

07 His son grew up __________ __________ a doctor. (become)
그의 아들은 성장하여 의사가 되었다.

08 She left home, never __________ __________ again. (return)
그녀는 고향을 떠났고 다시는 돌아오지 않았다.

01 to buy 02 to have 03 in order to learn 04 so as to have 05 To make 06 to find 07 to become 08 to return

3 감정 형용사+to부정사

▶ to부정사가 감정 형용사 뒤에서 원인을 설명하는 역할을 한다.

I'm very **pleased** (감정형용사) **to see you** (to부정사). 나는 너를 만나서 매우 기쁘다.
(원인 설명)

01 I was disappointed ______________________ that you didn't pass the exam. (hear)
나는 네가 시험에 떨어졌다는 소리를 듣고 낙담하였다.

02 He'll be surprised ______________________ your letter. (get)
그가 너의 편지를 받으면 놀랄 것이다.

4 difficult/hard/easy ...+to부정사

▶ easy 등의 형용사 뒤에 to부정사가 쓰여서 그 형용사를 수식하는 부사 역할을 한다.

It was difficult to find **the house**. It - to용법(가주어 - 진주어) 명사 역할
(위치 이동)
The house was difficult to find (빈자리). 형용사를 수식하는 부사 역할
(수식)

- It was difficult to find the house. 그 집을 찾는 것은 어려웠다. 〈to부정사의 명사 역할〉
- The house was difficult to find. 그 집은 찾기에 어려웠다. 〈to부정사의 부사 역할〉

03 It is easy to please him. <명사 역할>
→ He is easy __________ __________. <부사 역할>
그는 기쁘게 만들기 쉬운 사람이다.

04 It is difficult for you to solve the problem. <명사 역할>
→ The problem is difficult for you __________ __________. <부사 역할>
그 문제는 네가 풀기에 어렵다.

Keep in Mind

to부정사의 목적어가 문장 전체의 주어로 쓰일 때에는 to부정사를 이루는 타동사(또는 「자동사+전치사」)의 목적어를 남기면 안 된다.

The house was difficult to find Φ.
He is easy to please Φ.
→ 목적어 삭제 필요

01 to hear 02 to get 03 to please 04 to solve

5 성품 형용사+to부정사

▸ to부정사가 성품 형용사 뒤에서 그 성품에 대한 근거를 나타내며, '~하다니'라고 해석한다. 이 구문도 It을 주어로 하는 문장으로 전환할 수 있다.

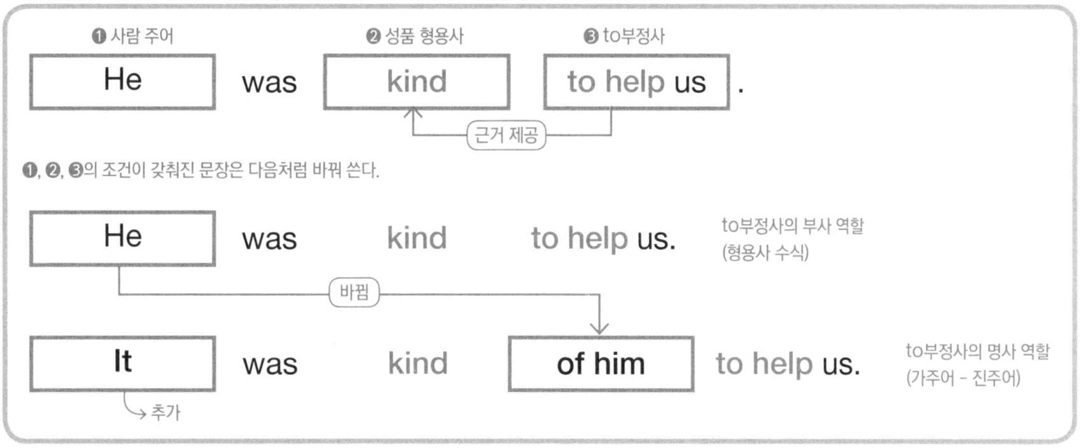

- He was kind **to help** us. 그는 우리를 돕기에 친절했다.
- **It** was kind **of him to help** us. 우리를 도와주다니 그는 친절했다.

성품 형용사

brave 용감한	careless 부주의한	clever 똑똑한	foolish 어리석은	generous 관대한	good 착한
kind 친절한	nice 착한	polite 예의 바른	right 올바른	wrong 잘못된	rude 무례한
selfish 이기적인	silly 어리석은	stupid 어리석은	unkind 불친절한	unselfish 이기적이 아닌	wicked 못된

01 Joan was foolish not _____ _____ their offer.
→ It was foolish _____ _____ not to accept their offer.
그들의 제안을 받아들이지 않다니 Joan은 어리석었다.

02 I was stupid _____ _____ that.
→ It was stupid _____ _____ to say that.
그렇게 말하다니 나는 바보였다.

03 She is brave _____ _____ alone in the wilderness.
→ It is brave _____ _____ to travel alone in the wilderness.
야생에서 혼자 여행을 하다니 그녀는 용감하다.

04 You were very careless _____ _____ the documents.
→ It was very careless _____ _____ to lose the documents.
그 서류를 잃어버리다니 너는 매우 부주의했다.

01 to accept, of Joan 02 to say, of me 03 to travel, of her 04 to lose, of you

Keep in Mind

「of 목적격」과 「for 목적격」의 구별

It was difficult **for Joan to find** the house. Joan이 그 집을 발견하는 것은 어려웠다.
It was foolish **of Joan** not **to accept** their offer. Joan이 그들의 제안을 받아들이지 않다니 어리석었다.

→ 첫 번째 문장처럼 일반형용사(difficult)가 오면 for Joan으로 쓰고, 두 번째 문장처럼 성품 형용사(foolish)가 오면 of Joan으로 쓴다.

(관련)
It was [difficult] [for] Joan to find the house.
It was [foolish] [of] Joan not to accept their offer.
(관련)

6 「be able+to부정사」 유형

▶ 특정한 형용사 뒤에 to부정사가 와서 「형용사+to부정사」가 관용적 표현으로 굳어진다.

be able	+	to read	➡	be able to	+	read
be+형용사		to부정사		조동사		동사원형

▪ David **is able to read** Chinese. David은 중국어를 읽을 수 있다.

→ be able 뒤에 to read Chinese라는 to부정사가 쓰였지만 이를 「be able+to부정사」로 보지 않고 「be able to+동사원형」으로 간주한다. be able to가 조동사처럼 굳어진 표현으로 쓰인다.

be able to 유형의 관용적 표현

be about to 막 ~을 하려 하다	be afraid to ~하기를 두려워하다	be anxious to ~하기를 열망하다
be careful to 하도록 조심하다	be determined to ~하기로 결심하다	be due to ~하기로 되어 있다
be eager to ~을 하고 싶어 하다	be free to 마음껏 할 수 있다	be willing to 기꺼이 ~하다
be keen to ~하기를 바라다	be likely to ~할 가능성이 높다	be ready to ~할 준비가 되다
be reluctant to ~을 주저하다	be sorry to ~해서 미안하다	be sure to 반드시 ~하다

01 They ________ ________ ________ ________ without getting paid. (willing, help)
그들은 기꺼이 보수를 받지 않고 도우려고 한다.

02 He ________ ________ ________ ________ a bit late. (likely, arrive)
그는 조금 늦게 도착할 것 같다.

03 He ________ ________ ________ ________ others. (eager, please)
그는 남을 즐겁게 하고 싶어 한다.

04 The president ________ ________ not ________ ________ another crisis. (anxious, have)
사장은 또 다른 위기를 겪지 않기를 열망한다.

01 are willing to help 02 is likely to arrive 03 is eager to please 04 is anxious, to have

7 too/enough+to부정사 ▸ to부정사와 함께 관용적으로 쓰이는 부사들이 있다.

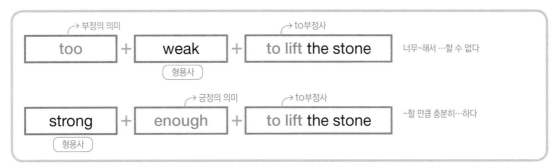

부정의 의미		to부정사	
too	+ weak (형용사)	+ to lift the stone	너무~해서 …할 수 없다

	긍정의 의미	to부정사	
strong (형용사)	+ enough	+ to lift the stone	~할 만큼 충분히…하다

- He is **too** weak **to lift** the stone. 그는 그 돌을 들기에는 너무 약하다.
- He's strong **enough to lift** the stone. 그는 그 돌을 들어 올릴 만큼 튼튼하다.

01 The race was __________ nerve-racking __________ __________. (watch)
그 경주는 손에 땀을 쥐게 해서 지켜볼 수가 없었다.

02 I'm __________ tired __________ __________ up longer. (stay)
나는 너무 피곤하여 더 이상 깨어 있을 수 없다.

03 The pear is ripe __________ (for me) __________ __________. (eat)
그 배는 (내가) 먹을 수 있을 만큼 충분히 익었다.

Keep in Mind

too ~ to 구문에서 to부정사의 목적어가 전체 주어와 일치할 때에는 그 목적어를 생략한다.
He is **too weak to lift** the stone. (O) – the stone과 He는 다른 단어
He is **too heavy (for me) to lift** him. (X) – him이 전체 주어 He와 일치하므로 him을 삭제
그는 너무 무거워 (내가) 들어 올릴 수 없다.

★ too ~ to 구문을 so ~ that 구문으로 바꿀 때에는 목적어를 반드시 써야 한다.
He is **so weak that he can't lift** the stone. (O)
He is **so heavy that I can't lift** him. (O) – him을 생략해서는 안 됨

04 The brick was __________ strong __________ I couldn't break it. (so)
그 벽돌은 너무 강해서 내가 그것을 깰 수가 없었다.

05 The used car is __________ cheap that I __________ buy it right now. (can)
그 중고차는 가격이 너무 싸서 내가 지금 당장 살 수 있다.

06 The trees are __________ huge __________ we __________ cut them down. (so)
그 나무들은 너무 거대해서 우리가 그것들을 베어 넘길 수 없다.

01 too, to watch 02 too, to stay 03 enough, to eat 04 so, that 05 so, can 06 so, that, can't

Exercises

Answers / p.03

A 다음 중 알맞은 것을 고르시오.

01 It was silly [of/for] me to lose the tickets.

02 We turned down the music not [disturb/to disturb] the neighbors.

03 It is too early for us [to have/having] dinner.

04 They aren't [enough intelligent/intelligent enough] to pass the test.

B 다음 두 문장이 같은 뜻이 되도록 빈칸을 알맞은 말로 채우시오.

01 Chris exercises every day in order to lose weight.
= Chris exercises every day ________ ________ weight.

02 It was generous of him to share the food.
= He was generous ________ ________ the food.

03 I am so smart that I can't fall for that trick.
= I am ________ ________ ________ ________ for that trick.

04 The water is so warm that we can swim in it.
= The water is ________ ________ for us ________ ________ in.

C 다음 주어진 단어를 이용하여 조건에 맞게 영작하시오.

조건 ① 필요 시 단어를 추가 및 변형할 것 ② to부정사를 쓸 것

01 나는 그를 다시 봐서 매우 기뻤다. (very, please, see, again)
→ ________________________________

02 이 여행가방은 우리가 휴대하기에는 너무 무거워. (suitcase, heavy, carry)
→ ________________________________

03 그 의사들은 그 불쌍한 여인을 기꺼이 도우려고 했다. (willing, poor, lady)
→ ________________________________

04 경찰에 전화를 하다니 그녀는 매우 똑똑했다. (she, very clever, the police)
→ ________________________________

05 그 소년은 그 기록을 깨기 위해서 최선을 다했다. (do one's best, so as, record)
→ ________________________________

LESSON
05 동사+목적어+(to)부정사

1 기본형 ▶「동사+목적어+(to)부정사」의 중요한 형식이 있다. 이 형식은 동사에 의해 결정된다.

	특별동사 ❶ / 특별동사 ❷		to부정사 / 원형부정사	
They	allow	their children	to stay up	late on weekends.
They	let	their children	stay up	late on weekends.

- They **allow** their children **to stay up** late on weekends. 그들은 자녀들이 주말에는 늦게 자도록 허용한다.
- They **let** their children **stay up** late on weekends.

「목적어+to부정사」를 취하는 특별 동사 ❶

ask 부탁하다	allow 허락하다	advise 충고하다	cause 야기하다
expect 예상하다	enable 가능하게 하다	encourage 격려하다	forbid 금지하다
force 강요하다	get ~하게 하다	want 원하다	lead 유도하다
order 명령하다	persuade 설득하다	permit 허락하다	remind 상기시키다
require 요구하다	teach 가르치다	tell 시키다	warn 경고하다

01 I asked Tom __________ __________ me. (help)
나는 Tom에게 나를 도와달라고 부탁했다.

02 Remind me __________ __________ Ann tomorrow. (phone)
내일 Ann에게 전화하도록 나에게 상기시켜 줘.

03 He warned her not __________ __________ anything. (touch)
그는 그녀에게 아무것도 만지지 말라고 경고했다

04 My grandfather taught me __________ __________ the drums. (play)
할아버지는 내게 드럼 연주하는 것을 가르쳐 주셨다.

05 The doctor strongly advised him __________ __________ on a diet. (go)
의사는 그에게 다이어트를 할 것을 강하게 조언했다.

06 The parents __________ their kids __________ __________ the lawn. (persuade, mow)
그 부모는 자신의 아이들이 잔디를 깎도록 설득했다.

07 The guidance counselor will __________ her __________ __________ biology. (encourage, take)
학습 지도 상담선생님은 그녀가 생물학 수업을 듣도록 권장할 것이다.

08 This new device __________ us __________ __________ without a keyboard. (enable, type)
이 새로운 장치는 우리가 키보드 없이 타자를 치는 것을 가능하게 해준다.

01 to help 02 to phone 03 to touch 04 to play 05 to go 06 persuaded, to mow 07 encourage, to take 08 enables, to type

「목적어+원형부정사」를 취하는 특별 동사 ❷

사역동사	make ~하게 하다/시키다 let ~하게 하다/허락하다 have ~하게 하다/시키다
지각동사	see 보다 watch 보다 observe 관찰하다 notice 알아차리다 hear 듣다 feel 느끼다
기타 동사	help 돕다 (to부정사나 원형부정사 모두 쓸 수 있음)

01 Will you ____________ me ____________ your camera? (let, use)
내가 너의 카메라를 사용하도록 허락해 줄래?

02 They ____________ the lights ____________ on. (see, come)
그들은 전등이 켜지는 것을 보았다.

03 Vicky ____________ me ____________ a present. (help, choose)
Vicky는 내가 선물 고르는 것을 도와주었다.

04 Lisa ____________ her little brothers ____________ up the room. (have, clean)
Lisa는 남동생들이 방을 청소하도록 했다.

Keep in Mind

목적어와 동사의 관계가 능동인 경우만 원형부정사를 쓴다.

My dad **heard** him **sing** a song. 아버지는 그가 노래하는 것을 들었다.

My dad **has** his car **repaired.** 아버지는 자동차를 수리 받으셨다.

목적어인 his car와 동사 repair는 수동의 관계이므로 과거분사(p.p.)를 써야 한다.

◈ 「동사+to부정사」 vs. 「동사+목적어+to부정사」 ▶ to부정사 앞의 목적어는 to부정사의 주어 역할을 한다.

I want [to win]. (동사+to부정사)

I want [him to win]. (동사+목적어+to부정사)

(he) wins

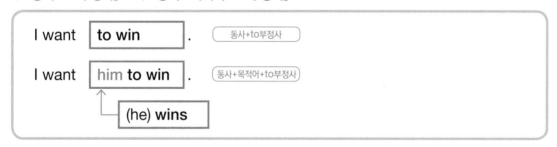

- I want **to win.** 나는 이기길 원한다.
- I want him **to win.** 나는 그가 이기길 원한다.

05 I expect ____________ ____________ ____________. (late)
나는 (내가) 늦을 거라고 예상한다.

06 I expect ____________ ____________ ____________ ____________. (he, late)
나는 그가 늦을 거라고 예상한다.

07 I asked ____________ ____________ the manager. (see)
나는 관리자를 면담하기를 요청했다.

08 I asked ____________ ____________ ____________ me. (Tom, help)
나는 Tom이 나를 도와주기를 요청했다.

01 let, use 02 saw, come 03 helped, (to) choose 04 had, clean 05 to be late 06 him to be late 07 to see 08 Tom to help

2 수동형 ▶「동사+목적어+(to)부정사」의 수동형은 「be동사+p.p.+to부정사」가 된다.

Peter **forced** me **to do** the work.

➡ I was forced **to do** the work by Peter.

to부정사 → to부정사

I **watched** him **climb** through the window.

➡ He was watched **to climb** through the window.

원형부정사 → to부정사

- Peter forced me **to do** the work. 〈동사+목적어+to부정사〉
  → I was forced **to do** the work by Peter. 나는 피터에게 그 일을 하라고 강요당했다.
- I watched him **climb** through the window. 〈동사+목적어+원형부정사〉
  → He was watched **to climb** through the window. 그가 창문을 통해 올라가는 것이 목격되었다.

➜ 첫 번째 문장은 to부정사를 취하는 특별 동사 force의 수동형이고, 두 번째 문장은 원형부정사를 취하는 지각동사 watch의 수동형이다. 능동형은 to부정사와 원형부정사 두 가지가 있지만 수동형은 모두 「be동사+p.p.+to부정사」로 하나이다.

01 His brothers didn't allow him to watch the TV show.
→ He wasn't ______ ______ ______ the TV show by his brothers.
그의 형들은 그가 그 TV쇼를 보는 것을 허락하지 않았다.

02 My parents make me read this weekly magazine.
→ I am ______ ______ ______ this weekly magazine by my parents.
나의 부모님은 내가 이 주간 잡지를 읽게 하신다.

03 James told me to leave the window open.
→ I was ______ ______ ______ the window open by James.
James는 내게 창문을 열어 놓으라고 말했다.

04 The guards don't permit them to speak to each other.
→ They are not ______ ______ ______ to each other by the guards.
교도관들은 그들이 서로 이야기하는 것을 허락하지 않는다.

05 The doctor will advise him to quit smoking.
→ He will be ______ ______ ______ smoking by the doctor.
그 의사는 그에게 금연하라고 충고할 것이다.

06 Mr. Kim saw Kate enter the library.
→ Kate was ______ ______ ______ the library by Mr. Kim.
김 선생님은 Kate가 도서관에 들어가는 것을 보았다.

01 allowed to watch 02 made to read 03. told to leave 04. permitted to speak 05 advised to quit 06 seen to enter

Exercises

Answers / p.03

A 다음 빈칸에 주어진 말의 알맞은 형태를 쓰시오.

01 Having a car enables you __________________ around more easily. (travel)

02 My mom wants the fence to __________________ by this Friday. (paint)

03 Children should be encouraged __________________ their individual interests. (develop)

04 The doctor asked the nurses to help him __________________ the patient. (move)

B 다음 밑줄 친 부분 중, 어법상 틀린 것을 고르시오.

01 My teacher ① wants ② the assignment ③ to do ④ by next Monday.

02 The police officers ① ordered ② the robbers ③ raise their hands and ④ rescued the hostage.

03 ① Even though the injury to his right leg was ② minor, it ③ caused the player ④ lost the game.

04 ① Something ② was seen ③ crossed the road ④ in the middle of the night.

05 ① Being honest helps ② when you try to ③ persuade someone ④ lending you some money.

C 다음 주어진 단어를 이용하여 조건에 맞게 영작하시오.

조건 ① 필요 시 단어를 추가 및 변형할 것 ② to부정사를 쓸 것

01 Mark는 그의 형이 그 경기에서 이길 것이라 예상한다. (expect, win, match)

→ ______________________________

02 Lisa는 나에게 누구도 믿지 말라고 말했다. (tell, trust, anyone)

→ ______________________________

03 나는 내 친구들과 노는 것이 허락되지 않았다. (allow, hang out with)

→ ______________________________

04 모든 직원들은 그 세미나에 참석하도록 요구되었다. (all, employee, make, attend, seminar)

→ ______________________________

05 부모님은 내가 오늘 밤에 밖에 나가는 것을 금지할 것이다. (parent, forbid, leave the house)

→ ______________________________

LESSON 06

원형부정사

1 원형부정사란?

▸ to부정사에서 to를 뺀 동사원형을 원형부정사(bare infinitive)라고 한다.

to동사원형 ➡ to부정사 / 동사원형 ➡ 원형부정사

01 We didn't ________ him ________ ________. (expect, cry)
우리는 그가 울 것이라고 예상하지 않았다.

02 Your jokes always ________ me ________. (make, laugh)
너의 농담은 항상 나를 웃게 만든다.

2 원형부정사의 쓰임

▸ ① 조동사 뒤 ② 사역·지각동사 뒤 ③ 관용표현에서 쓰인다.

to부정사와 원형부정사를 구분해서 써야 하는 관용표현

cannot (help) but + **동사원형** ~할 수 밖에 없다
do nothing but + **동사원형** ~하기만 하다
have no choice[alternative] but + **to부정사** ~외에 다른 대안이 없다
know better than + **to부정사** ~할 만큼 어리석지 않다
(All he did) was + **to부정사/동사원형** (그가 한 것은) ~뿐이었다

- I must **speak** to the manager. 나는 그 관리자에게 말을 해야 한다. 〈조동사 뒤〉
- They let their dogs **run** around in the backyard. 그들은 개들이 뒤뜰에서 뛰어다니도록 내버려둔다. 〈사역동사 뒤〉
- I cannot but **admire** her. 나는 그녀를 존경할 수밖에 없다. 〈관용표현〉

03 She did ________ but ________. (nothing, complain)
그녀는 불평만 했다.

04 We had no ________ but ________ ________ the animal. (choice, save)
우리는 그 동물을 구할 수밖에 없었다.

05 Eva knew ________ than ________ ________ Mark's jokes. (good, interrupt)
Eva는 Mark의 농담을 중단시킬 만큼 어리석지 않았다.

06 ________ she can do is ________ a cake. (all, bake)
그녀가 할 수 있는 일이란 케이크를 굽는 일뿐이다.

01 expect, to cry 02 make, laugh 03 nothing, complain 04 choice, to save 05 better, to interrupt 06 All, (to) bake

Exercises

Answers / p.03

A 다음 중 알맞은 것을 고르시오.

01 She wouldn't let me [read / to read] the letter.

02 The crowd did nothing but [watch / to watch] her cry.

03 They all heard the bomb [go / goes] off.

04 I saw Mary get into her car and [drive / drives] away.

05 Can you help me [to wash / washing] the car?

B 다음 문장에서 어법상 틀린 부분을 찾아 바르게 고치시오.

01 Baked turkey always makes us thinking of Thanksgiving Day.

02 If you are lucky, you can watch deer to drink water from the pond.

03 You should always wearing your seat belt when driving.

04 The kid knew better than talk back to her parents.

05 The security guard had us to wait outside the building.

C 다음 주어진 단어를 이용하여 조건에 맞게 영작하시오.

조건 ① 필요 시 단어를 추가 및 변형할 것 ② 축약형을 쓰지 말 것

01 네가 한 것은 나의 개랑 놀아준 것뿐이었어. (all, play with)

→ ______________________________

02 그녀는 전화를 받는 것 외에 다른 대안이 없었다. (no choice, answer)

→ ______________________________

03 우리는 그에게 동의할 수밖에 없다. (help, but, agree with)

→ ______________________________

04 나는 그 아이들이 그 꽃을 만지도록 허락할 수 없다. (let, child, touch)

→ ______________________________

05 McMaster 선생님은 내가 나가는 것을 눈치 채지 못하셨다. (Mr. McMaster, notice, get out)

→ ______________________________

LESSON 07

기타 to부정사 및 be to 용법

1 to부정사의 완료형

to부정사의 시제가 본동사의 시제보다 앞선 과거일 때, 제한적이긴 하지만 to부정사를 완료형인 「to have p.p.」로 쓴다.

He seems **to be** ill.
= It **seems** that he **is** ill. (같은 시제)

He seems **to have been** ill.
= It **seems** that he **was** ill. (다른 시제)

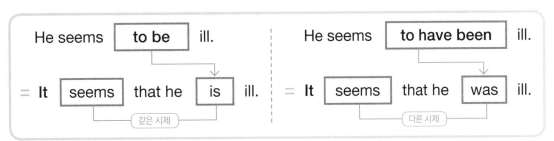

- He seems **to be** ill. 그는 아픈 것 같다.
- He seems **to have been** ill. 그는 아팠던 것 같다.

01 She is believed ________ ________ ________ to the USA. (go)
= It is believed that she went [has gone] to the USA.
사람들은 그녀가 미국으로 갔다고 생각한다.

02 Simon is said ________ ________ ________ the lottery. (win)
= It is said that Simon won the lottery
Simon이 복권에 당첨되었다고 한다.

◈ hoped+완료부정사

희망 · 의도를 나타내는 동사(hope, intend, mean, would like to)가 과거형으로 쓰이고, 그 뒤에 완료부정사가 오면 과거의 이루지 못한 소망을 나타내며 '~하려고 했었는데'로 해석된다.

희망 · 의도를 나타내는 동사의 과거형 + **to have p.p.** (완료부정사) → 이루지 못한 소망

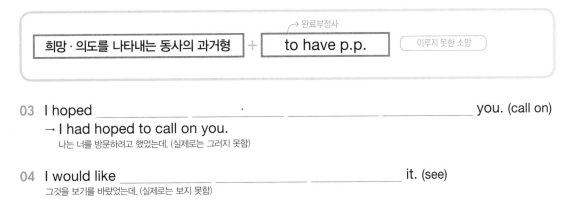

03 I hoped ________ ________ ________ ________ you. (call on)
→ I had hoped to call on you.
나는 너를 방문하려고 했었는데. (실제로는 그러지 못함)

04 I would like ________ ________ ________ it. (see)
그것을 보기를 바랐었는데. (실제로는 보지 못함)

01 to have gone **02** to have won **03** to have called on **04** to have seen

2 to부정사의 부정 ▸ to부정사의 부정은 to부정사 앞에 not을 추가하면 된다.

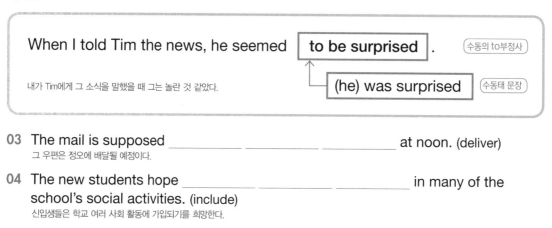

It is my principle **not** (→ 부정어) **to tell lies** (→ to부정사). 거짓말하지 않는 것이 나의 신조이다.

01 I was warned ________ ________ ________ anything. (touch)
아무것도 만지지 말라는 주의를 들었다.

02 He hurried so as ________ ________ ________ ________ for school. (be)
그는 학교에 지각하지 않으려고 서둘렀다.

3 수동 ▸ to부정사가 수동의 의미일 때에는 수동태를 쓴다.

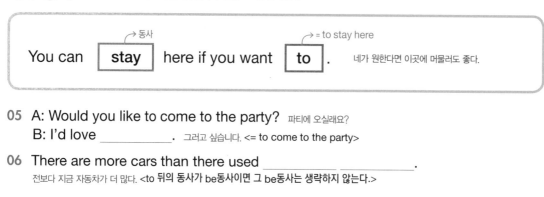

When I told Tim the news, he seemed **to be surprised**. (수동의 to부정사)
내가 Tim에게 그 소식을 말했을 때 그는 놀란 것 같았다.
↑ (he) was surprised (수동태 문장)

03 The mail is supposed ________ ________ ________ at noon. (deliver)
그 우편은 정오에 배달될 예정이다.

04 The new students hope ________ ________ ________ in many of the school's social activities. (include)
신입생들은 학교 여러 사회 활동에 가입되기를 희망한다.

4 대부정사 ▸ to부정사가 반복될 때 전체를 반복하지 않고 to만 반복한다.

You can **stay** (→ 동사) here if you want **to** (→ = to stay here). 네가 원한다면 이곳에 머물러도 좋다.

05 A: Would you like to come to the party? 파티에 오실래요?
B: I'd love ________. 그러고 싶습니다. <= to come to the party>

06 There are more cars than there used ________ ________.
전보다 지금 자동차가 더 많다. <to 뒤의 동사가 be동사이면 그 be동사는 생략하지 않는다.>

01 not to touch 02 not to be late 03 to be delivered 04 to be included 05 to 06 to be

5 be to 용법

▸「be동사+to부정사」에서 be to가 조동사 역할을 할 때, 이를 be to 용법이라고 한다.

Their daughter **is to** be married soon. 그들의 딸이 곧 결혼할 것이다.
(is to → 조동사 역할)

be to용법의 다양한 의미

용법	예문
예정, 미래	He is to **leave** today. 그는 오늘 떠날 예정이다.
의무	You are to **be** back by 10 o'clock. 너는 10시까지 돌아와야 한다.
의도	If he's to **succeed** in his new profession, he must try harder. 그가 새 직종에서 성공하려면 더 열심히 노력해야 한다.
운명 (주로 과거시제)	He was never to **see** his son again. 그는 아들을 다시는 만날 수 없는 운명이었다.
가능 (보통 부정문에서, 수동태와 함께)	No one was to **be seen** on the street. 거리에는 아무도 없었다.

01 He introduced me to the woman who __________ __________ __________ his wife. (be)
그는 자신의 아내가 될 여자에게 나를 소개했다. <예정>

02 You __________ not __________ __________ here. (smoke)
여기서는 담배를 피우면 안 된다. <의무>

03 If you __________ __________ __________ the test, you should study hard. (pass)
만약 네가 시험에 통과하고 싶다면 열심히 공부해야 한다. <의도>

04 He __________ eventually __________ __________ __________ in bankruptcy court. (end up)
그는 결국 파산 법정에 서게 되었다. <운명>

05 The watch __________ not __________ __________ __________ anywhere. (find)
그 시계는 어디에서도 찾을 수 없었다. <가능>

Keep in Mind

be to 용법에서의 to부정사와 보어로 쓰이는 to부정사는 다르다.

Ken's dream is to build many shelters for the homeless. Ken의 꿈은 노숙자들을 위한 보호소를 많이 짓는 것이다.
ㄴ = ㄱ

→ 주어인 Ken's dream과 명사 역할을 하는 to build가 같기에 보어로 쓰였고, 이는 위에 언급한 be to 용법과는 다르므로 주의가 필요하다.

01 was to be 02 are, to smoke 03 are to pass 04 was, to end up 05 was, to be found

Exercises

Answers / p.04

A 다음 두 문장이 같은 뜻이 되도록 빈칸을 알맞은 말로 채우시오.

01 It seems that Kevin is upset.
= Kevin seems ____________ ____________ upset.

02 It is believed that the criminals have made contact.
= The criminals ____________ ____________ ____________ have made contact.

03 If you intend to catch the flight, you should leave now.
= If you ____________ ____________ catch the flight, you should leave now.

04 You should always focus on your work so that you don't get fired.
= You should always focus on your work so as ____________ ____________ get fired.

B 다음 밑줄 친 부분 중, 어법상 틀린 것을 고르시오.

01 He ① entered the hall ② although I ③ ordered him ④ not.

02 Can you ① hear that strange noise? It ② seems ③ happening every time I ④ turn on the lights.

03 This photo ① was supposed to ② enclose in the mail ③ when you sent ④ it.

04 ① The alarm seems ② to ③ go off at ④ around 1:00 p.m. yesterday.

05 He ① hurried to the station ② in order ③ to not ④ miss the train.

C 다음 주어진 단어를 이용하여 조건에 맞게 영작하시오.

조건 ① 필요 시 단어를 추가 및 변형할 것 ② to부정사를 쓸 것

01 당신은 여기 안에서 모자를 벗어야 합니다. (be, take off, in)
→ ______________________________

02 나의 교수님은 프랑스에서 살았던 것처럼 보인다. (professor, seem, live, France)
→ ______________________________

03 그는 내게 그들을 놀리지 말라고 말했다. (tell, not, make fun of)
→ ______________________________

04 그 기계는 지금 수리되어야 한다. (machine, need, repair)
→ ______________________________

05 그들은 다시는 서로를 못 보게 되었다. (be, never, see, each, again)
→ ______________________________

LESSON

08 to부정사 vs. 동명사

to부정사와 동명사의 기본적 차이

부정사의 고유 의미	동명사의 고유 의미
발생 가능성(potentiality) 미래, 미실현, 상상 등을 나타낸다.	이루어진 발생(performance) 과거나 현재, 그리고 이에 바탕을 둔 일반적 사실 등을 나타낸다.

특정한 동사들

동명사와 to부정사 둘 다 목적어로 취하지만 각각의 경우 뜻이 다른 동사들	
remember, forget, regret	+ to부정사 : 앞으로 발생할 미래
	+ 동명사 : 이미 발생한 과거

1 remember/forget

- remember/forget+-ing ~한 것을 기억하다 / 잊다
- remember/forget+to부정사 ~할 것을 기억하다 / 잊다

- I remember **going** to the 2016 Olympics. 나는 2016년 올림픽에 갔었던 것을 기억한다.
- I must remember **to post** this letter today. It's important. 나는 오늘 이 편지를 부칠 것을 기억해야 한다. 중요한 편지이다.

01 I'll never ______ ______ over the Grand Canyon. It was wonderful. (fly)
나는 비행기로 그랜드캐니언 위를 날았던 것을 결코 잊을 수 없다. 너무 멋졌다.

02 The clothes are still dirty because I ______ ______ ______ ______ the washing machine. 내가 세탁기의 스위치를 켜야 하는 것을 잊었기 때문에 그 옷들은 아직도 더럽다. (switch on)

2 stop

- stop+-ing ~을 멈추다 〈stop은 타동사, -ing는 목적어〉
- stop+to부정사 ~하기 위해 하던 일을 멈추다 〈stop은 자동사, to부정사는 부사적 용법〉

- They stopped **showing** films there. 그들은 그곳에서 영화 상영하는 것을 중단했다.
- He stopped **to tie up** his shoelace. 그는 신발 끈을 묶기 위해 하던 일을 중단했다.

03 There's too much noise. Can you all ______ ______, please? (talk)
너무 시끄러워. 너희들 모두 대화를 중단해 줄래?

04 An old man walking along the road ______ ______ ______ to us. (talk)
길을 따라 걷던 한 할아버지가 우리에게 말을 걸기 위해 발걸음을 멈추었다.

01 forget flying 02 forgot to switch on 03 stop talking 04 stopped to talk

3 try

- **try+-ing** ~을 시험 삼아 해보다
- **try+to부정사** ~을 하려고 애쓰다

- I tried **clicking** on the box, but it didn't work. 나는 그 박스에서 마우스를 눌러 보았으나 소용이 없었다.
- I tried **to run** this computer program. 나는 이 컴퓨터 프로그램을 실행시키려 했다.

01 I've got a terrible headache. I ______ ______ an aspirin but it didn't help. 나는 두통이 너무 심하다. 아스피린을 먹어 보았으나 도움이 되지 않았다. (take)

02 I was very tired. I ______ ______ ______ my eyes open but I couldn't. 나는 매우 피곤했다. 눈을 뜨려고 했으나 그럴 수 없었다. (keep)

4 그 밖의 동사들

- **regret+-ing** ~을 후회하다
- **regret+to부정사** ~하게 되어 유감이다
- **mean+-ing** ~을 뜻하다
- **mean+to부정사** ~을 의도하다

- Jake has never regretted **giving up** his violin lesson.
  Jake는 그의 바이올린 수업을 포기한 것을 절대 후회한 적이 없다.
- We regret **to inform** you that your request has been rejected.
  당신의 요청이 거절되었다는 것을 알리게 되어 유감입니다.
- Starting a master's degree means **dealing with** Prof. Watson for another two years.
  석사과정을 시작한다는 것은 또 2년 동안 Watson 교수님을 상대해야 한다는 것을 의미한다.
- I have been meaning **to ask** you this important question.
  나는 너에게 이 중요한 질문을 쭉 물어보고 싶었어.

03 I ______ ______ you that John stole it. (tell)
나는 너에게 John이 그것을 훔쳤다고 말한 것을 후회한다.

04 I ______ ______ ______ you that John stole it. (tell)
John이 그것을 훔쳤다고 너에게 말하게 되어 유감이다.

05 I'm applying for a visa. It ______ ______ in this form. (fill)
나는 비자를 신청할 것이다. 그것은 이 서식을 채워야 한다는 뜻이다.

06 I don't think Nick ______ ______ ______ that glass. (break)
나는 Nick이 그 유리창을 깨뜨릴 의도였다고 생각하지 않는다.

01 tried taking **02** tried to keep **03** regret telling **04** regret to tell **05** means filling **06** meant to break

Exercises

Answers / p.04

A 다음 중 알맞은 것을 고르시오.

01 My brother doesn't seem to remember [telling/to tell] me his secrets last night.

02 I never meant [hurt/to hurt] your feelings. I am so sorry.

03 We regret [telling/to tell] you that your name is not on the list. We suggest you apply next time.

04 The new teacher tries hard [keeping/to keep] his class under control, but he always fails.

05 The children should stop [disturbing/to disturb] their mom. She is under a lot of stress.

B 다음 빈칸에 주어진 말의 알맞은 형태를 쓰시오.

01 Please do not forget ______________ the door behind you. (close)

02 Even though Ken was late for work, he stopped ______________ a cup of coffee. (get)

03 We should forgive Kate. She really regrets ______________ those horrible things to us. (say)

04 Marriage means ______________ your spouse with all your heart. (love)

05 If your plant seems to be dying, you should try ______________ it out in the sun more often. (put)

C 다음 주어진 단어를 이용하여 조건에 맞게 영작하시오.

조건 ① 필요 시 단어를 추가 및 변형할 것 ② 가능한 경우 축약형을 쓸 것

01 나는 이 잡지책을 읽은 기억이 없다. (remember, read, magazine)

→ ______________________________

02 너의 여권을 챙길 것을 절대 잊지 마라. (never, forget, take, passport)

→ ______________________________

03 그녀는 자신의 집을 판 것을 후회하지 않는다. (regret, sell)

→ ______________________________

04 너는 그 강아지들을 그만 괴롭혀야 한다. (need, stop, bother, puppy)

→ ______________________________

05 그 경찰관은 나의 할머니를 놀라게 할 의도는 없었다. (police officer, mean, scare)

→ ______________________________

Review Test

[01-10] 다음 중 알맞은 것을 고르시오.

01 Ashley sent me an e-mail in order [informing/to inform] me that the meeting had been canceled.

02 I hoped [to have visited/visiting] the Louvre Museum when I went to Paris, but I ended up visiting the Orsay Museum instead.

03 I don't know [where to buy/to where buy] the meat for the lamb stew.

04 He asked [to not name/not to be named] as the person that donated the money.

05 We dislike [to eat/to be eaten] dinner by ourselves on weekends.

06 Peter has been taught [to be sung/to sing] by Mr. Price for many years.

07 It was careless [of/for] you not to lock the door.

08 Almost everyone fails [passed/to pass] the driver's test on the first try.

09 I'd better get going now. I promised not [being/to be] late.

10 We tried [being put/to put] the fire out, but we were unsuccessful. We had to call the fire department.

[11-15] 다음 밑줄 친 부분 중, 어법상 틀린 것을 골라 바르게 고치시오.

11 Could you please ①come over? I ②need you ③to help me ④moving the refrigerator.

12 The municipal authorities ①advised people ②to be boiled all ③drinking water ④during the emergency.

13 My roommate ①says I have a ②terrible voice, ③so I stopped ④to sing in the shower.

14 I am glad ①that my company ②sent me to another country to study. I am very pleased ③to have given the opportunity ④to learn about another culture.

15 John Stobbard ①finally finished ②writing his first play this year. ③Its first performance is ④to stage at the New Victoria Theater.

[16-20] 다음 빈칸에 들어갈 말로 알맞은 것을 고르시오.

16 The prisoners are thought ________ through a broken window last night.

① to have escaped
② to have been escaped
③ of having escaped
④ to escape

17 The new machinery was introduced in an effort ________ labor costs.

① cutting ② to cut ③ of cutting ④ be cut

18 Some online services monitor their chat rooms and encourage children ________ the offensive chatter.

① report ② to report ③ reporting ④ have reported

19 Amoebas are far too small ________ without a microscope.

① seen ② to seeing ③ to be seen ④ seeing

20 He ________ the situation would get out of hand sooner or later.

① could help but thinking
② could help think which
③ couldn't help think that
④ couldn't help but think

[21-22] 다음 (A)와 (B)의 표현 중에서 어법에 맞는 가장 적절한 것을 고르시오.

21 If you were indeed to build a house, you (A) [would find/would find it] helpful to have a set of directions to guide you in its construction. You would need (B) [knowing/to know], for example, where the walls and support beams should be placed.

22 In a national poll, 62 percent of Americans surveyed admitted being (A) [so/too] busy to sit down for a meal. Many reported eating lunch while working at their desks or eating while driving. But this practice is unhealthy. It tends (B) [to make/making] us fat.

23 다음 빈칸 (A)와 (B)에 들어갈 말로 바르게 짝지어진 것은?

One of the best ways ___(A)___ about maps is to make one of your own. You will need to choose the area which you want to map out. Be sure to include symbols, like a picnic table to represent a park or a flag to represent a school. Don't forget ___(B)___ other important information in your legend.

(A) (B)
① to learn …… to include
② to learn …… including
③ learning …… to include
④ learning …… including

24 다음 글에서 어법상 잘못된 문장을 찾아서 바르게 고쳐 쓰시오.

Good conversation means sharing ideas and feelings. This means everyone should have a turn to say something. If you usually talk more than half the time, that may be too much. Ask a question of another person. Then stop to talk and listen.

01 다음 글의 밑줄 친 부분 중, 어법상 틀린 것은? 기출 변형

If we get into a routine, we don't need to use precious energy every day prioritizing everything. We must simply use a small amount of initial energy to create the routine, and then all we have to do is ① follow it. There is a huge body of scientific research ② to explain how routine makes difficult things ③ becoming easy. One simplified explanation is that as we do a certain task again and again the neurons, or nerve cells, make new connections through communication gateways called 'synapses.' With repetition, the connections become stronger and it becomes easier for the brain ④ to activate them. For instance, when you learn a new word, it takes several repetitions to master the word. In order to recall the word later you will have to activate the same synapses until eventually you know the word without trying ⑤ to think about it.

*prioritize: 우선순위를 매기다 activate: 활성화시키다

02 (A), (B), (C)의 각 네모 안에서 어법에 맞는 표현으로 가장 적절한 것은? 기출 변형

Your parents may be anxious that you will not spend your allowance wisely. You may make some silly spending choices, but if you do, the decision (A) [doing / to do] so is your own and hopefully you will learn from your mistakes. Much of learning can be achieved through trial and error. Let your parents (B) [realize / to realize] that money is something you will have to deal with for the rest of your life. It is better you make your mistakes early on rather than later in life. Make your parents understand that you will have a family someday and you need to learn how to (C) [manage / be managed] your money. Not everything can be taught at school!

	(A)		(B)		(C)
①	doing	……	realize	……	manage
②	doing	……	to realize	……	be managed
③	doing	……	realize	……	be managed
④	to do	……	to realize	……	manage
⑤	to do	……	realize	……	manage

Let's Recap

1 to부정사의 형태와 특징 ▸ to+동사원형

2 to부정사의 명사 역할 ▸ 목적어, 주어, 보어

- Mike **started** to learn French last year. 〈목적어〉
- To walk alone at night **is** dangerous. 〈주어〉
  = **It** is dangerous to walk alone at night. (to부정사가 주어일 때, 대개 가주어 it으로 대체.)
- My dream **is** to marry Julia and start a family. 〈보어〉

3 to부정사의 형용사 역할 ▸「명사+to부정사」의 형태로 명사 수식

- I have plenty of **books** to read.

4 to부정사의 부사 역할

- My kids went to the zoo (in order/so as) to see pandas. 〈목적〉
- The cat lived to be twenty years old. 〈결과〉
- She was glad to hear the news. 〈감정의 원인〉
- These letters are hard to read. 〈형용사 수식〉
- Jacob was foolish to trust the stranger. 〈(성품) 판단의 근거〉

모르면 미끄러지는 다빈출 문법 포인트

★「of 목적격」 vs.「for 목적격」
It was nice of you to help him. 〈성품형용사〉 vs. It was easy for you to help him. 〈일반형용사〉

★ too ~ to vs. enough to
He was too lazy to have breakfast. vs. He was diligent enough to have breakfast.

5 동사+목적어+(to)부정사

- The teacher told us to be quiet.

6 원형부정사 ▸ ① 조동사 뒤 ② 사역 · 지각동사 뒤 ③ 관용표현

7 기타 to부정사 및 be to 용법

▸ to부정사의 완료형(to+have p.p.), 부정(not+to), 수동(to+be p.p.), 대부정사

▸ be to 용법: 예정, 의무, 의도, 운명, 가능

8 to부정사 vs. 동명사

remember, forget, stop, try, regret, mean	+ to부정사(미래, 예정 의미)/동명사(과거 의미)

PART
2
동명사

LESSON 01

동명사의 형태와 역할

1 동명사의 형태

동명사는 「동사원형+-ing」의 형태이며 '~하기, ~하는 것'으로 해석한다.

play + -ing → playing
taste + -ing → tasting
swim + -ing → swimming

01 Some people don't like ______________ eye contact with others. (make)
어떤 사람들은 다른 사람들과 눈을 마주치는 것을 좋아하지 않는다.

02 ______________ aloud in the shower makes me happy. (sing)
샤워 중에 크게 노래 부르는 것은 나를 행복하게 만든다.

03 My training schedule includes ______________ a mile every morning. (run)
나의 훈련 일정은 매일 아침 1마일 달리는 것을 포함한다.

04 David's hobby is ______________ drones on the hill. (fly)
David의 취미는 언덕에서 드론을 조종하는 것이다.

2 동명사 만들기

절에서 동사를 「동사원형+-ing」로 바꾸면 동명사가 된다. 주어는 소유격으로 바뀌지만 생략되는 경우가 많다.

(he)	takes	long walks	in the evening	완전한 절
❶ 주어	❷ 동사	목적어	부사(구)	
(his)	taking	long walks	in the evening	동명사

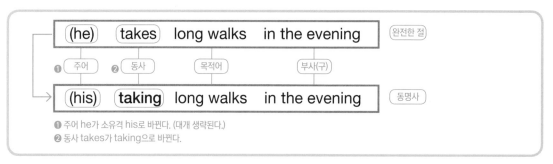

❶ 주어 he가 소유격 his로 바뀐다. (대개 생략된다.)
❷ 동사 takes가 taking으로 바뀐다.

05 ______________ backward sometimes is good for health. (walk)
가끔 뒤로 걷는 것은 건강에 좋다. └ (people) walk backward sometimes

06 I can't imagine his ______________ the test. (fail)
나는 그가 시험에 낙제하는 것을 상상할 수가 없다. └ he fails the test

07 When I finished ______________ breakfast, I did the dishes right away. (eat)
내가 아침 식사를 마쳤을 때, 나는 곧장 설거지를 했다. └ (I) ate breakfast

01 making 02 Singing 03 running 04 flying 05 Walking 06 failing 07 eating

3 동명사의 역할 ▸ 동명사는 타동사의 목적어, 전치사의 목적어, 주어, 보어로 쓰인다.

Andrew doesn't	mind	having lots of work.
	타동사	목적어
Vicky is excited	about	going to America.
	전치사	목적어
Knowing how to drive	is	useful.
주어	동사	
Her first job	had been	selling computers.
	be 동사	보어

- Andrew doesn't mind **having** lots of work. He quite likes it. 〈동사의 목적어〉
  Andrew는 일을 많이 하는 것을 꺼려하지 않는다. 오히려 좋아한다.
- Vicky is excited about **going** to America. 〈전치사의 목적어〉
  Vicky는 미국에 가는 것에 들떠 있다.
- **Knowing** how to drive is useful. 〈주어〉
  운전하는 법을 아는 것은 유용하다.
- Her first job had been **selling** computers. 〈보어〉
  그녀의 첫 번째 직업은 컴퓨터를 파는 일이었다.

01 She likes ________________ bagels for breakfast. (eat)
그녀는 아침 식사로 베이글 먹는 것을 좋아한다. 〈동사의 목적어〉

02 He complained of ________________ poor service at the shop. (get)
그는 그 가게에서 형편없는 서비스를 받는 것에 대해 불평했다. 〈전치사의 목적어〉

03 ________________ text messages is a big part of daily life. (send)
문자메시지를 보내는 것은 일상생활의 큰 부분이다. 〈주어〉

04 My greatest fear is ________________ in front of a large crowd. (speak)
나의 가장 큰 두려움은 많은 군중 앞에서 말하는 것이다. 〈보어〉

01 eating 02 getting 03 Sending 04 speaking

Exercises

Answers / p.06

A 다음 중 알맞은 것을 고르시오.

01 [Possessing / Possession] illegal weapons is a serious crime.

02 Marie is responsible for [lock / locking] all the doors and windows.

03 Alice was tired of [washed / washing] the dishes every night.

04 Rick insisted on [I / my] staying with James.

05 Ken's favorite hobby is [cook / cooking] Korean food.

B 다음 문장에서 어법상 틀린 부분을 찾아 바르게 고치시오.

01 When I finished do the housework, I took a break.

02 I hope you don't mind I call in like this without an appointment.

03 Mindy is famous for work very hard.

04 Take the subway during rush hour is better than driving.

05 Tom has finally given up to swim every morning.

C 다음 주어진 단어를 이용하여 조건에 맞게 영작하시오.

조건 ① 필요 시 단어를 추가 및 변형할 것 ② 반드시 동명사를 사용할 것

01 Joyce는 자신을 초대한 것에 대해 우리에게 감사했다. (thank, for, invite, her)

→ ______________________________

02 걷는 것은 좋은 운동이다. (walk, good, exercise)

→ ______________________________

03 그 여배우는 민감한 사안에 대한 질문에 답하기를 회피했다. (actress, avoid, answer, questions, sensitive issues)

→ ______________________________

04 그녀의 일은 나의 아기들을 돌보는 것이다. (job, take care of)

→ ______________________________

05 보는 것이 믿는 것이다. (see, believe)

→ ______________________________

LESSON 02

동명사의 여러 가지 역할

1 동명사의 기본 역할

1) 타동사의 목적어 ▶ 특정한 타동사만이 동명사를 목적어로 취한다.

admit 인정하다	appreciate 감사하다	avoid 피하다	consider 고려하다
deny 부정하다	mind 꺼리다	enjoy 즐기다	give up 포기하다
finish 끝내다	imagine 상상하다	involve 포함하다	postpone 연기하다
put off 미루다	practice 연습하다	quit 그만두다	resist 저항하다
stop 멈추다	suggest 제안하다	cannot help ~하지 않을 수 없다	

01 Have you finished ______________ the letter? (write)
너는 그 편지를 쓰는 것을 끝냈니?

02 I seriously considered ______________. (resign)
나는 사임하는 것을 진지하게 고려했었다.

2) 전치사의 목적어 ▶ 동명사는 명사와 거의 같은 역할을 하므로 전치사의 목적어로도 쓰인다.

03 John went to work in spite of ______________ sick. (feel)
John은 아픈데도 불구하고 일하러 갔다.

04 They accused me of ______________ lies. (tell)
그들은 내가 거짓말했다고 비난했다.

3) 주어 ▶ 동명사는 문장에서 주어로 쓰이며 단수 취급한다.

05 ______________ the pianos takes three hours. (tune)
그 피아노들을 조율하는 데는 세 시간 걸린다.

06 ______________ to work usually takes thirty minutes. (drive)
자동차로 출근하는 데 대개 30분이 걸린다.

4) 보어 ▶ 동명사는 be동사의 보어로 쓰인다.

07 My hobby is ______________. (swim)
나의 취미는 수영이다.

08 One of his bad habits is ______________ his nails. (bite)
그의 나쁜 습관 중 하나는 손톱을 깨무는 일이다.

01 writing 02 resigning 03 feeling 04 telling 05 Tuning 06 Driving 07 swimming 08 biting

2 동명사의 주의해야 할 역할

1) 전치사 to의 목적어(동명사) vs. to부정사

전치사 중 to는 부정사 표시어 to와 모양이 같다. to가 전치사로 쓰이면 그 뒤에는 동명사(또는 명사)를 쓰고, 부정사로 쓰이면 그 뒤에는 동사원형을 쓴다.

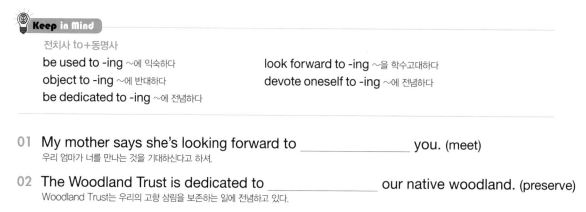

I object	to smoking	in this building.	동명사(전치사 to의 목적어)
I refused	to smoke	in this building.	to부정사

- I object **to smoking** in this building. 나는 이 건물에서 흡연하는 것에 반대한다.
- I refused **to smoke** in this building. 나는 이 건물에서 흡연하는 것을 거절했다.

→ object 뒤의 to는 전치사이므로 smoking(동명사)을 썼고, refuse 뒤의 to는 부정사 표시어이므로 smoke(원형)를 썼다.

Keep in Mind

전치사 to+동명사

be used to -ing ~에 익숙하다
object to -ing ~에 반대하다
be dedicated to -ing ~에 전념하다
look forward to -ing ~을 학수고대하다
devote oneself to -ing ~에 전념하다

01 My mother says she's looking forward to ______________ you. (meet)
우리 엄마가 너를 만나는 것을 기대하신다고 하셔.

02 The Woodland Trust is dedicated to ______________ our native woodland. (preserve)
Woodland Trust는 우리의 고향 삼림을 보존하는 일에 전념하고 있다.

2) be+used to+동명사 vs. used to+동사원형

「be동사/get+used to+-ing」는 to가 전치사이므로 그 뒤에 동명사가 오고, 「used to」는 과거를 뜻하는 조동사이므로 그 뒤에 동사원형이 온다.

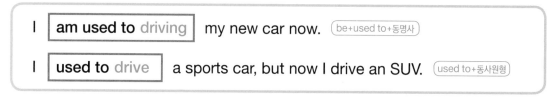

I	am used to driving	my new car now.	be+used to+동명사
I	used to drive	a sports car, but now I drive an SUV.	used to+동사원형

- I am used to **driving my new car** now. 나는 이제 새 차를 운전하는 일에 익숙해졌다.
- I used to **drive a sports car**, but now I drive an SUV. 나는 전에는 스포츠카를 탔었지만 지금은 SUV를 탄다.

03 My parents used to ______________ in London, but now they live in Bristol. (live)
우리 부모님은 런던에 살았었는데 지금은 브리스톨에 사신다.

04 I normally go to bed at about 10 o'clock. I'm not used to ______________ up late. (stay)
나는 대개 10시쯤에는 잠자리에 든다. 늦은 시간까지 깨어 있는 것에 익숙하지 않다.

01 meeting 02 preserving 03 live 04 staying

Exercises

Answers / p.06

A 다음 괄호 안의 동사를 이용하여 문장을 완성하시오.

01 The truck driver tried to avoid ______________ over the cat, but he failed. (run)

02 Mr. Kim used to ______________ math at the university, but he's retired now. (teach)

03 The pastor has devoted his entire life to ______________ the homeless in town. (help)

04 I would like to suggest ______________ for a walk in the park. (go)

B 다음 밑줄 친 부분 중, 어법상 틀린 것을 고르시오.

01 The thief undoubtedly ① waited for Mr. Smith to go out, ② entered by the back window, and ③ removed the silver without ever ④ been seen.

02 The journey is too ① complicated. It involves ② to change buses more than three times. ③ So I suggest ④ taking the train this time.

03 Eager to win the Nobel Prize, the professor dedicated himself to ① discover something ② beneficial to mankind. ③ However, he failed ④ to get much support from his college.

04 Ancient civilizations ① such as Phoenicia ② were used to ③ trade goods rather than ④ use money.

C 다음 주어진 단어를 이용하여 조건에 맞게 영작하시오.

조건 ① 필요 시 단어를 추가 및 변형할 것 ② 축약형을 쓰지 말 것

01 나는 그것을 보기를 기대하고 있어. (be, look forward to, see)

→ ______________________________

02 그는 매운 음식 먹는 것에 익숙하지 않아. (be, used to, eat, spicy food)

→ ______________________________

03 우리는 퇴근 후에 쇼핑가는 것을 고려했다. (consider, go shopping, after work)

→ ______________________________

04 당신은 그녀에게 전화하는 것을 미루면 안 됩니다. (should, put off, make a phone call to)

→ ______________________________

05 당신의 상황에 대해서 불평하는 것은 그 문제를 해결하지 못할 것입니다. (complain, situation, will, solve the problem)

→ ______________________________

동명사의 특징

1 동명사의 주어

▸동명사의 주어는 대개 생략되지만 필요한 경우에는 주로 소유격으로 표시한다.

I really don't mind [(my) doing the housework.] (my → 동명사 주어, doing → 동사) 주어 일치

I really don't mind [your doing the housework.] (your → 동명사 주어, doing → 동사) 주어 불일치

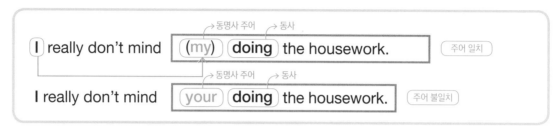

- I really don't mind **doing** the housework. 나는 집안 일 하는 것을 꺼려하지 않는다.
- I really don't mind **your doing** the housework. 나는 네가 집안 일 하는 것을 반대하지 않는다.

➜ 첫 문장처럼 doing 앞에 아무런 표시가 없으면 doing의 주어는 전체 주어인 'I'와 일치한다.
두 번째 문장처럼 doing 앞에 소유격 your가 있으면 그 소유격이 동명사 doing의 주어이다.

01 Annie's parents don't like ________ ________ to bed late. (she, go)
Annie의 부모는 Annie가 늦게 자는 것을 좋아하지 않는다.

02 I was surprised about ________ ________ to come to the meeting. (Sue, forget)
나는 Sue가 회의에 와야 하는 것을 잊은 것에 놀랐다.

Keep in Mind

소유격과 목적격 | 동명사의 주어는 소유격이 원칙이나 목적격으로 표시되는 경우도 있다.

I didn't know about the weather **being** so awful in this area.
나는 이 지역의 날씨가 그렇게 끔찍하다는 것을 알지 못했다.

I look forward to it **getting** warmer in spring.
나는 봄에는 더 따뜻해지기를 고대한다.

2 동명사의 부정(not+동명사)

▸동명사 앞에 not이 붙으면 동명사 전체의 부정이 된다.

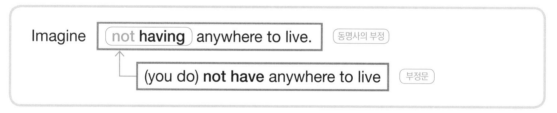

Imagine [not having anywhere to live.] 동명사의 부정

↑ [(you do) not have anywhere to live] 부정문

- Imagine not **having** anywhere to live. 살 곳이 없다고 상상해 보라.

➜ 위의 'not having anywhere to live' 전체가 동명사이고, 이는 'having anywhere to live'의 부정이 된다.
이는 '(you) do not have anywhere to live'라는 부정문이 동명사로 변한 것이다.

03 Peter enjoys ________ ________ to get up early. (have)
Peter는 일찍 일어나지 않아도 되는 것이 좋다.

04 I can't imagine your ________ ________ how to do it. (know)
나는 네가 그것의 사용 방법을 모른다는 것을 상상할 수도 없다.

01 her going 02 Sue's forgetting 03 not having 04 not knowing

3 동명사의 수동태(being+p.p.) ▶ 동명사의 모양이 「being+p.p.」이면 수동의 의미이다.

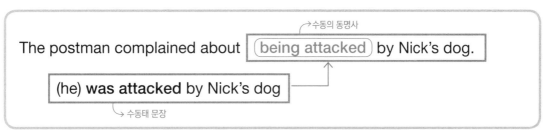

→수동의 동명사

The postman complained about [(being attacked) by Nick's dog.]

[(he) was attacked by Nick's dog]

→ 수동태 문장

- The postman complained about being attacked by Nick's dog.
  그 우체부는 Nick의 개에게 공격받은 것을 항의했다.

01 He objects to __________ __________ like a child. (treat)
그는 어린이처럼 취급 받는 것에 반대한다.

02 I don't appreciate __________ __________ when I'm speaking. (interrupt)
나는 말할 때 방해 받는 것을 좋아하지 않는다.

need+동명사

- My car needs **servicing**. 내차는 수리를 요한다.
- My car needs **to be serviced**. 내차는 수리를 요한다.

→ need 뒤에는 동명사도 오고 부정사도 온다. 동명사를 쓸 때에는 수동의 의미일지라도 능동(-ing)을 쓴다. my car가 서비스를 받는 것이므로 수동의 의미이지만 'need being serviced'로 쓰지 않는다. 부정사의 경우는 수동(to be p.p.)을 쓴다. need 대신에 want를 쓰기도 한다.

03 These trousers need __________. (clean)
이 바지는 세탁을 요한다.

04 These trousers need __________ __________ __________. (clean)
이 바지는 세탁을 요한다.

4 완료동명사(having+p.p.) ▶ 「having+p.p.」를 완료동명사라 하는데 한 시제 앞선 과거일 때 사용한다.

I [admit] / [knowing] him. ➡ [I admit that I know him.]

(같은 시점)

I [admit] / [having known] him. ➡ [I admit that I knew him.]

(having known이 더 과거)

- I admit **knowing** him. 〈단순 동명사〉 나는 그를 안다고 인정한다.
- I admit **having known** him. 〈완료 동명사〉 나는 그를 알고 있었다고 인정한다.

05 They now regret __________ __________ __________. (get married)
그들은 이제 결혼한 것을 후회한다.

06 He denied __________ __________ the money. (steal)
그는 돈을 훔친 것을 부인했다.

01 being treated 02 being interrupted 03 cleaning 04 to be cleaned 05 having got married 06 having stolen

Exercises

Answers / p.06

A 다음 중 알맞은 것을 고르시오.

01 The student appreciated [received/having received] the expert's interest in her project.

02 We can't imagine [not having/having not] you around. We will miss you a lot.

03 It looks like your apartment needs [renovating/to renovate].

04 Nobody understands [you quit/your quitting] your job all of a sudden.

B 다음 두 문장이 같은 뜻이 되도록 빈칸을 알맞은 말로 채우시오.

01 Are you sorry you didn't take the job?
= Do you regret ______ ______ taken the job?

02 The garden needs to be watered.
= The garden needs ______.

03 The student admits that she lied to the teacher.
= The student admits ______ ______ to the teacher.

04 She isn't aware that Paul is moving to Chicago.
= She isn't aware of ______ ______ to Chicago.

C 다음 주어진 단어를 이용하여 조건에 맞게 영작하시오.

조건 ① 필요 시 단어를 추가 및 변형할 것 ② 동명사를 쓸 것 ③ 시제에 유의할 것

01 그 용의자가 그 집에 침입한 것을 시인했다. (suspect, confess to, break into)
→ ______________________________

02 당신의 여권은 다음 주까지 갱신되어야 합니다. (passport, need, renew)
→ ______________________________

03 내 딸은 아기처럼 대우받기를 좋아하지 않는다. (daughter, treat, like)
→ ______________________________

04 Peterson 선생님은 내가 더 일찍 떠나는 것을 꺼려하시지 않는다. (Mr. Peterson, mind, leave, earlier)
→ ______________________________

05 Jake는 자신의 숙제를 하지 않은 것을 후회한다. (regret, do his homework)
→ ______________________________

LESSON

04 동명사의 관용 표현

- be worth -ing ~할 가치가 있다
- have difficulty (in) -ing ~하는 데 어려움을 겪다
- spend+목적어(시간/돈)+-ing 시간/돈을 ~하는 데 쓰다
- feel like -ing ~하고 싶다

be worth -ing ~할 가치가 있다

01 Do you think this book is ________ ________? (read)
너는 이 책이 읽을 가치가 있다고 생각하니?

02 Life wouldn't be ________ ________ without friendship. (live)
인생은 우정이 없다면 살 가치가 없을 것이다.

03 This idea is ________ ________ before you do the work. (consider)
이 아이디어는 네가 그 일을 하기 전에 고려해 볼 가치가 있다.

spend+목적어(시간/돈) -ing 시간/돈을 ~ 하는 데 쓰다

04 I ________ hours ________ to repair the clock. (try)
나는 그 시계를 수리하려고 몇 시간을 소비했다.

05 Don't ________ any money ________ things you don't need. (buy)
필요하지 않은 물건을 사는 데 돈을 낭비하지 마라.

06 We ________ a pleasant hour or two ________ with our friends. (talk)
우리는 친구들과 이야기를 나누면서 유쾌한 한두 시간을 보냈다.

have difficulty [trouble/a hard time] (in) -ing ~ 하는 데 어려움을 겪다

07 Did you ________ any difficulty ________ a visa? (get)
너는 비자를 얻는 데 어려움이 있었니?

08 People often ________ great difficulty ________ my writing. (read)
사람들은 내 글을 읽는 데 어려움을 자주 겪는다.

09 I'm sure you'll ________ no trouble ________ the examination. (pass)
나는 네가 그 시험을 별 어려움 없이 통과하리라 확신한다.

feel like -ing ~하고 싶다

10 I don't feel ________ ________ a big meal now. (eat)
나는 지금은 많이 먹고 싶지 않다.

11 I ________ like ________ a walk. (take)
나는 지금 걷고 싶다.

12 Neither of them ________ ________ ________ back to sleep. (go)
그들 중 누구도 다시 잠들고 싶지 않았다.

01 worth reading 02 worth living 03 worth considering 04 spent, trying 05 spend, buying 06 spent, talking
07 have, getting 08 have, reading 09 have, passing 10 like eating 11 feel, taking 12 felt like going

- be busy -ing ~하느라고 바쁘다
- There is no -ing ~하는 것은 불가능하다
- It[There] is no use -ing ~해 봐야 소용없다
- There is no point in -ing ~할 필요[이유]가 없다

be busy -ing ~ 하느라고 바쁘다

01 Patrick ________ ________ ________ the baseball game on TV. (watch)
Patrick은 TV로 야구 경기를 보느라 바쁘다.

02 They ________ ________ ________ for a party on Saturday. (prepare)
그들은 토요일 파티 준비에 바쁘다.

03 Companies ________ so ________ ________ their financial reports. (analyze)
회사들은 재무 보고를 분석하느라고 매우 바쁘다.

It[There] is no use -ing ~해 봐야 소용없다

04 It is no use ________. (complain)
불평해 봐야 소용없다.

05 It's ________ ________ ________ about it. There's nothing you can do. (worry)
그것에 대해 걱정해 봐야 소용없다. 네가 할 수 있는 일이 없어.

06 There's ________ ________ ________ ________ me any more questions. (you, ask)
네가 나에게 더 이상 질문해 봐도 이무 소용없다.

There is no -ing ~하는 것은 불가능하다

07 There is ________ ________ for tastes. (account)
취향을 설명하는 것은 불가능하다.

08 There's ________ ________ what will happen in the future. (know)
앞으로 무슨 일이 일어날지는 아무도 모른다.

09 ________ ________ ________ ________ back to the life she had. (go)
그녀는 과거 삶으로 돌아갈 수는 없다.

There is no point in -ing ~할 필요[이유]가 없다

10 There was no point ________ ________, so we went. (wait)
기다릴 필요가 없어서 우리는 갔다.

11 There's ________ ________ ________ ________ a car if you don't want to drive it. (buy)
네가 운전하고 싶지 않으면 차를 살 필요는 없다.

12 There was ________ ________ ________ ________ any longer. (stay)
더 이상 머물 필요는 없다.

01 is busy watching 02 are busy preparing 03 are, busy analyzing 04 complaining 05 no use worrying 06 no use your asking
07 no accounting 08 no knowing 09 There is no going 10 in waiting 11 no point in buying 12 no point in staying

Exercises

Answers / p.07

A 다음 괄호 안의 동사를 이용하여 문장을 완성하시오.

01 I have been having difficulty ______________ on to the system. (log)

02 Many people spend a lot of money ______________ drunk. (get)

03 Tina went to the Japanese restaurant because she felt like ______________ sushi. (eat)

04 There is no use ______________ them on. They only have one minute remaining. (cheer)

B 다음 밑줄 친 부분 중, 어법상 틀린 것을 고르시오.

01 It was very late ① when we ② got home. So ③ it wasn't worth ④ go to bed.

02 He ① found a job. It ② wasn't difficult. He had no ③ difficulty ④ to find a job.

03 She ① spent half her life ② wrote the book. ③ Fortunately, the book ④ earned her more than $10 million.

04 Do not study ① if you're ② feeling tired. ③ There is no point in ④ study like that.

05 James has ① always had trouble ② passes the ③ driving test. He needs ④ to practice more.

C 다음 주어진 단어를 이용하여 조건에 맞게 영작하시오.

조건 ① 필요 시 단어를 추가 및 변형할 것 ② 동명사를 쓸 것

01 저녁으로 무엇을 먹고 싶니? (feel like, have)

→ ______________________________

02 나를 설득하려고 노력해도 소용없어. (it, use, persuade)

→ ______________________________

03 그는 그 컴퓨터 게임을 하느라 바쁘다. (busy, play)

→ ______________________________

04 Mike는 그 강의를 이해하느라 힘든 시간을 보내고 있었다. (have, hard, lecture)

→ ______________________________

05 노력 없이 승리하는 것은 불가능하다. (there, win, hard work)

→ ______________________________

Review Test

[01-10] 다음 중 알맞은 것을 고르시오.

01 Do you have an excuse for [being/to be] late to class two days in a row?

02 I am considering [writing/to write] my autobiography before I die. Do you think anyone would read it?

03 The teacher was pleased with our [answer/answering] all of the exam questions correctly.

04 Did you ever finish [designing/being designed] an office for that new client of yours?

05 The stockbroker denied [having informed/to have informed] them of the secret business deal.

06 No one can understand [Tony's failing/Tony's failure] the economics test even though he studied hard.

07 Sometimes very young children have trouble [to separate/separating] fact from fiction and may believe that dragons actually exist.

08 The owner of the building supply store doesn't mind [giving/being given] his customers discounts when they buy in large quantities.

09 [Watching/To be watched] television to the exclusion of all other activities is not a healthy habit for a growing child.

10 I just heard that there's been a major accident that has all of the traffic tied up. If we want to get to the play on time, we'd better avoid [taking/having taken] the highway.

[11-15] 다음 밑줄 친 부분 중, 어법상 틀린 것을 골라 바르게 고치시오.

11 ①Most students ②have trouble ③make up their minds about ④a major in college.

12 By ①using of laser beams, ②physicians can ③perform surgery ④inside the body.

13 ①After her husband ②died, the old woman ③had to get used ④to live on her own.

14 Had he not believed ① every individual ② belongs to history, his story ③ would not have been ④worth of telling.

15 ASL is ①a system of ②communication thoughts ③silently ④by gestures and signs.

[16-20] 다음 빈칸에 들어갈 말로 알맞은 것을 고르시오.

16 The committee suggested ______________ an outside consultant as an advisor to the project.

① hire ② hires ③ hiring ④ to hire

17 I do not understand why Mother should object to ______________ the piano at the party.

① I play ② my play ③ I playing ④ my playing

18 We were shocked to hear the news of your ______________.

① having fired ② having been fired ③ to be fired ④ to have been fired

19 The vice-chancellor left before the meeting was closed, for he thought the issue on the table was not worth ______________.

① to consider ② to discuss about ③ talking about ④ mentioned

20 Dogs wag their tails as ______________ high spirits.

① an expressing of ② an expression of ③ an expression ④ an expressing

21 다음 빈칸 (A)와 (B)에 들어갈 말로 바르게 짝지어진 것은?

The wartime use of penicillin contributed to ____(A)____ thousands of lives. In the First World War, pneumonia was responsible for eighteen percent of all the deaths in the United States army. In the Second World War, the rate went down to less than one percent. In addition, penicillin was instrumental in keeping wounds from ____(B)____.

	(A)		(B)
①	save	……	infecting
②	save	……	getting infected
③	saving	……	infecting
④	saving	……	getting infected

22 다음 밑줄 친 require를 문맥에 맞도록 알맞은 형태로 고치시오.

Working as a janitor in an office building is not much different from keeping a single apartment in proper condition. Both the janitor and the apartment dweller must fix leaky faucets, repair furniture, and sometimes do painting. Although the size of the job and the location differ, keeping a whole building and a single apartment clean and in good condition <u>require</u> the same kind of work.

23 (A), (B), (C)의 각 네모 안에서 어법에 맞는 표현으로 가장 적절한 것은?

Have you ever gone (A) [shop/shopping] for your mother? If you have, you probably enjoyed (B) [wheeling/to wheel] the grocery cart up and down the aisles of the supermarket as you collected the things on your mother's list. You probably came home with such things as canned vegetables, (C) [frozen/freezing] foods, meat, and fresh fruits.

	(A)		(B)		(C)
①	shop	……	to wheel	……	frozen
②	shop	……	wheeling	……	freezing
③	shop	……	to wheel	……	freezing
④	shopping	……	wheeling	……	frozen
⑤	shopping	……	to wheel	……	freezing

01 다음 글의 밑줄 친 부분 중, 어법상 틀린 것은? 기출 변형

One cool thing about my dad was that he was really good at ①picking the best places to camp. Last summer, we went camping in Grasslands National Park. My dad said that the Indigenous Canadians used to ②live there. On trips like this, he would always have a good story ③to share. His stories were always targeted at ④lead me to use my brain to get out of trouble. For example, one story was about a logger being chased by a big coyote. They ran into a field. I was thinking that the coyote would catch him. But the logger spotted a bathtub in the field. He ran to the bathtub and pulled it over himself. The coyote just barked and barked until it lost interest, and took off. Then the logger came out of the bathtub and ⑤left the site as quickly as possible.

*indigenous: 토착의, logger: 나무꾼

02 (A), (B), (C)의 각 네모 안에서 어법에 맞는 표현으로 가장 적절한 것은? 기출 변형

What could be wrong with the compliment "I'm so proud of you"? A lot. Just as it is misguided to offer your child false praise, (A) [reward / rewarding] all of his achievements is also a mistake. Even though rewards sound so positive, they can often lead to negative results. It is because they can take away from the love of learning. If you consistently reward a child for what he has achieved, he starts to focus more on getting the reward than on what he did to earn it. The focus of his excitement shifts from enjoying learning itself to (B) [please / pleasing] you. If you praise every time your child identifies a letter, he might become a praise lover that eventually becomes less interested in (C) [learn / learning] the alphabet for its own sake than for hearing you clap.

	(A)		(B)		(C)
①	reward	……	please	……	learn
②	reward	……	pleasing	……	learning
③	reward	……	please	……	learning
④	rewarding	……	pleasing	……	learning
⑤	rewarding	……	please	……	learn

Let's Recap

1 동명사의 형태와 역할 ▸동사원형+-ing

2 동명사의 여러 가지 역할 ▸주어, 보어, 목적어

- **Exercising** regularly **is** good for your health. 〈주어〉
- His job **is** **writing** screenplays. 〈보어〉
- My daughters **enjoy** **listening** to music. 〈타동사의 목적어〉
- The host thanked everyone **for** **coming** to the party. 〈전치사의 목적어〉

모르면 미끄러지는 다빈출 문법 포인트

★ **전치사 to의 목적어(동명사) vs. to부정사**

My children are looking forward **to** watching the movie. 〈전치사 to의 목적어(동명사)〉

They decided **to** cut the tree down. 〈to부정사〉

★ **be+used to+동명사 vs. used to+동사원형**

She **is used to** jogging in the park every morning. 〈be+used to+동명사〉

He **used to** live across my house. 〈used to+동사원형〉

3 동명사의 특징

▸동명사의 주어는 대개 생략 됨, 필요 시 주로 소유격으로 표시함 (목적격 가능)

▸부정: not+동명사

▸수동: 「being+p.p.」

▸앞선 시제: 「having+p.p.」

4 동명사의 관용 표현

be worth -ing ~할 가치가 있다	be busy -ing ~ 하느라고 바쁘다
spend+목적어(시간/돈) -ing 시간/돈을 ~하는 데 쓰다	It[There] is no use -ing ~해 봐야 소용없다
have difficulty (in) -ing ~ 하는 데 어려움을 겪다	There is no -ing ~하는 것은 불가능하다
feel like -ing ~하고 싶다	There is no point in -ing ~할 필요가 없다

PART

3

분사

LESSON 01

분사란?

1 형태 ▶ 동사원형에 -ing나 ~ -ed를 붙여 형용사처럼 쓰는 말이다.

명사		-ing/-ed로 시작 → 분사	
The person	+	writing	reports
A report		written	by Tom

- The person **writing** reports is my colleague. 보고서를 쓰고 있는 저 사람이 내 동료이다.
- A report **written** by Tom appeared last week. Tom이 쓴 보고서 하나가 지난주에 나타났다.

2 역할 ▶ 분사는 항상 명사와 함께 쓰여 그 명사를 수식하는 형용사 역할을 한다.

명사	분사	
the person	writing reports	(보고서를 쓰고 있는) 저 사람
a report	written by Tom	(Tom에 의해 쓰인) 보고서

수식(형용사 역할)

01 The man ______________ a suitcase came into the room. (carry)
가방을 들고 있는 그 사람이 방으로 들어갔다.

02 The dog ______________ next door sounded like a terrier. (bark)
옆집에서 짖고 있는 저 개는 테리어 같다.

◈ 분사 vs. 동명사

분사와 동명사는 모양은 같으나 역할이 다르다. 분사는 명사를 수식하는 '형용사' 역할을 하고 동명사는 그 자체가 '명사' 역할을 한다.

The boy **standing at the door** (분사) is my brother. 문에 서 있는 그 소년은 내 동생이다.
→ 형용사 역할

My **forgetting** her name (동명사) is embarrassing. 내가 그녀의 이름을 잊은 것은 당황스럽다.
→ 명사 역할: 주어

01 carrying 02 barking

Exercises

Answers / p.08

A 다음 중 알맞은 것을 고르시오.

01 The weapon [use/used] in the horrible crime has now been found.

02 I went to a reunion for students [educating/educated] in the physics department during the 1980s.

03 A truck [carried/carrying] concrete pipes overturned in the center of town.

04 Have you ever met the man [stood/standing] over there?

05 Name some of the languages [spoken/speaking] in Europe.

B 다음 빈칸에 주어진 말의 알맞은 형태를 쓰시오.

01 The people ______________ next door came from Italy. (live)

02 There is a sign on the gate ______________ 'Beware of Dog.' (say)

03 We bought a building ______________ in 2010. (build)

04 Extra trains were available this morning for people ______________ to work. (travel)

05 The book ______________ last week is his first novel. (publish)

C 다음 주어진 단어를 이용하여 조건에 맞게 영작하시오.

조건 ① 필요 시 단어를 추가 및 변형할 것 ② 분사를 사용할 것

01 어젯밤 도난당한 그 자전거는 내 차고에 있었다. (bike, steal, garage)

→ ______________________________

02 그 아기 침대에서 자고 있는 아기는 사랑스럽다. (sleep, crib, adorable)

→ ______________________________

03 너는 교실에서 이야기를 하고 있는 그 여자아이들을 좋아하니? (like, talk, classroom)

→ ______________________________

04 나는 Katie라고 불리는 한 여성을 알고 있어. (know, lady, name)

→ ______________________________

05 내 친구들 대부분은 한국에서 만든 휴대전화를 소유하고 있다. (most of, own, cellphone, make)

→ ______________________________

LESSON 02

현재분사(-ing) vs. 과거분사(-ed/p.p.)

1 분사의 형성 ▶ 완전한 절에서 주어를 제외하고 동사에 -ing/-ed를 붙이면 분사가 된다.

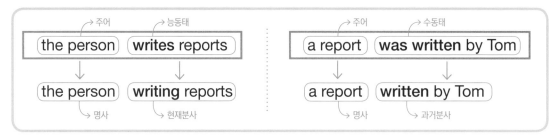

주어 / 능동태

the person | writes reports

↓ ↓

the person | writing reports

명사 / 현재분사

주어 / 수동태

a report | was written by Tom

↓ ↓

a report | written by Tom

명사 / 과거분사

① the person **writing** reports 〈현재분사〉
└ the person writes reports 〈능동〉

② a report **written** by Tom 〈과거분사〉
└ a report was written by Tom 〈수동〉

→ 분사도 변형된 절이므로 절에서 만들어진다. the person writes reports/a report was written by Tom은 완전한 절이고, 이 완전한 절에서 분사가 만들어진다. 완전한 절에서 주어를 삭제하고 나머지 동사로 분사를 만들되 능동태의 동사는 -ing로 만들고 수동태의 동사는 -ed로 만든다.

01 There was a big red car ______________ outside the house.
큰 빨간 차 한대가 집 밖에 주차되어 있었다. └ a big red car was parked

02 Who is that man ______________ outside?
밖에 서 있는 저 사람은 누구니? └ that man is standing

03 Automobiles ______________ in Germany are usually strong.
독일에서 만들어지는 자동차는 보통 강하다. └ automobiles are manufactured

04 Look at the cute kids ______________ on the stage.
무대 위에서 춤추고 있는 귀여운 아이들을 봐라. └ the cute kids are dancing

05 I really loved the houses ______________ by Italian architects.
나는 이탈리아 건축가들이 설계한 그 집들이 정말 마음에 들었다. └ the houses were designed

06 The cosmetic store was crowded with customers ______________ Chinese.
그 화장품 가게는 중국어로 말하는 손님들로 붐볐다. └ customers were speaking

01 parked 02 standing 03 manufactured 04 dancing 05 designed 06 speaking

2 의미: 능동 vs. 수동 ▸ 현재분사(-ing)는 명사와의 관계가 능동이고, 과거분사(-ed)는 수동이다.

- the girl **talking** to Tom Tom에게 이야기하고 있는 여자
- the money **stolen** in the robbery 절도 사건에서 도난당한 돈

➜ 현재분사 talking은 the girl talks to Tom이라는 능동의 절이 바뀐 것이고, 과거분사 stolen은 the money was stolen in the robbery라는 수동의 절이 바뀐 것이다.

01 The man ______________ in the accident was taken to the hospital. (injure)
그 사고에서 다친 사람이 병원으로 호송되었다.

02 Anyone who is ______________ to the party can come. (invite)
그 파티에 초대된 사람들은 누구나 올 수 있다.

03 A spectator is someone ______________ a game or an event. (watch)
구경꾼이란 경기나 행사를 구경하는 사람이다.

04 There were some children ______________ in the river. (swim)
강에서 수영을 하고 있는 몇몇 아이들이 있었다.

Keep in Mind

-ing는 능동, -ed/p.p.는 수동의 연장

분사는 능동태/수동태의 연장이라고 볼 수 있다. 따라서 -ing를 쓸 것이냐 -ed/p.p.를 쓸 것이냐는 동사의 특징을 잘 활용해야 한다.

① 자동사는 수동태가 될 수 없으므로 분사로 연결될 때도 -ing로만 된다.
Do you know the kid **swimming** in the pond? 〈swim은 자동사〉
너는 연못에서 수영하고 있는 그 아이를 아니?

② 타동사 뒤에 명사(목적어)가 있으면 대개 능동이므로 -ing로 연결한다.
The restaurant was filled with people **having** lunch. 〈lunch가 명사(목적어)〉
그 식당은 점심을 먹고 있는 사람들로 가득했다.

③ 타동사 뒤에 명사가 없거나, by ~가 있으면 수동이므로 -ed/p.p.로 연결한다.
Most of the goods **made** in this factory are exported. 〈made(타동사) 뒤에 명사(목적어)가 없음〉
이 공장에서 생산된 제품의 대부분은 수출된다.
The traffic chaos **caused by** the accident meant long delays. 〈뒤에 by가 있음〉
그 사고로 야기된 교통 혼잡은 오랜 지체를 의미했다.

01 injured 02 invited 02 watching 02 swimming

Exercises

Answers / p.08

A 다음 밑줄 친 부분 중, 어법상 틀린 것을 고르시오.

01 A chart ① listed the employees' ② wages ③ was found ④ posted on the bulletin board.

02 Markets ① sold second-hand goods were ② known as flea markets because old items were ③ thought ④ to be full of fleas.

03 When we ① walked past the theater, there ② were a lot of people ③ stood in a long line ④ outside the box office.

04 The children ① attended a special movie program ② consisted of cartoons ③ that ④ featured Donald Duck and Mickey Mouse.

05 ① Only a small fraction of the eggs ② laying by a fish actually ③ hatch and ④ survive to adulthood.

B 다음 두 문장이 같은 뜻이 되도록 빈칸을 알맞은 말로 채우시오.

01 The dog didn't have an ID tag. It was following me around.
= The dog ________ ________ ________ didn't have an ID tag.

02 Who is the man? He is waiting for you at the door.
= Who is the man ________ ________ ________ at the door?

03 I read the message by mistake. It was sent to you.
= I read the message ________ ________ ________ by mistake.

04 This team has several players. They were born in the 90s.
= This team has several players ________ ________ ________ ________.

C 다음 주어진 단어를 이용하여 조건에 맞게 영작하시오.

조건 ① 필요 시 단어를 추가 및 변형할 것 ② 10 단어 이하로 쓸 것

01 나의 삼촌이 찍은 그 사진들은 정말 인기 있다. (photo, take, really, popular)
→ ________________________________

02 나는 내 집을 둘러싸고 있는 벽들을 허물고 싶다. (want, tear down, surround)
→ ________________________________

03 너는 아침에 소개된 그 신사분을 알고 있니? (know, gentleman, introduce)
→ ________________________________

04 그 파티에서 춤추고 있던 그 소녀들은 재능이 많았다. (dance, full of talent)
→ ________________________________

분사 역할의 확장

1. 분사+명사

▶분사는 명사 앞에서도 수식한다. 즉, 「분사+명사」의 순서가 된다.

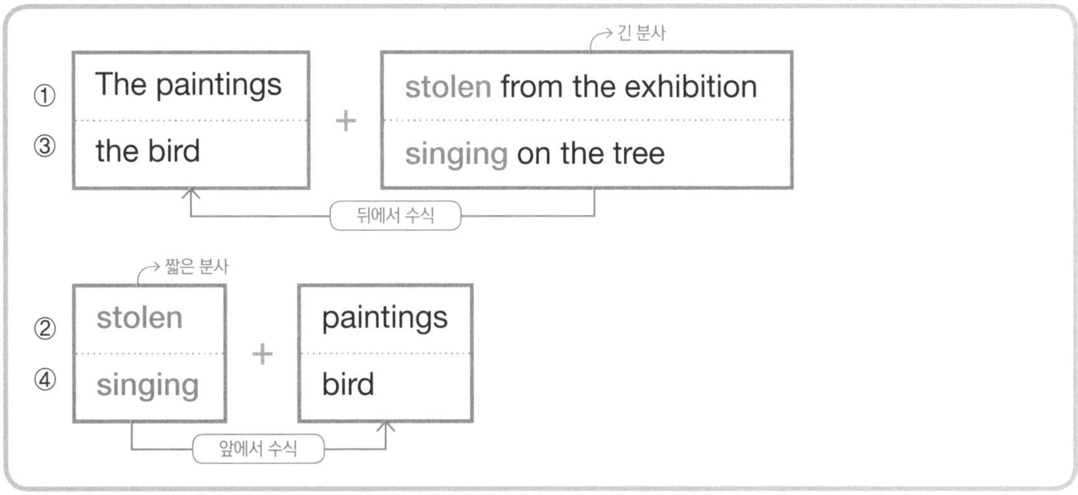

① The paintings **stolen from the exhibition** haven't been found yet.
전시회에서 도난당한 그림들은 아직도 발견되지 않았다.

② The **stolen** paintings should be returned to their owners. 도난당한 그림들은 주인에게 돌아가야 한다.

③ Do you see the bird **singing on the tree**? 나무에서 노래하는 저 새가 보이니?

④ Do you see the **singing** bird? 노래하는 저 새가 보이니?

→ 분사는 명사 뒤에 위치하는 것이 일반적이다. 그러나 대개 짧은 분사 중에는 명사 앞에 위치하는 것도 있다.
②와 ④는 stolen과 singing의 분사가 각각 명사 앞에서 수식한다.

01 I was wakened by a ______________ dog. (bark)
나는 짖는 개에 의해 잠에서 깼다.

02 The ______________ purse was returned to its owner. (lose)
분실된 지갑이 주인에게 돌아갔다.

03 The ______________ man was last seen in Cambridge. (want)
그 현상범은 케임브리지에서 마지막으로 목격되었다.

Keep in Mind

a beautifully dressed girl 유형

분사는 동사의 변형이므로 부사의 수식을 받는다. 분사가 명사 앞에서 수식할 때에도 마찬가지이다. 이때의 어순은 「(관사)+부사+분사+명사」가 된다.

a	beautifully	dressed	girl
〈관사〉	〈부사〉	〈-ed 분사〉	〈명사〉

a recently **sold** car 최근에 팔린 차
beautifully **manicured** nails 매니큐어가 아름답게 칠해진 손톱들

01 barking 02 lost 03 wanted

2 분사형 형용사 ▶ 분사의 모습을 하고 있지만 형용사로 굳어진 말들을 분사형 형용사라고 하며 형용사와 거의 동일하게 쓰인다.

→ -ed형
The old lady is **annoyed**. → 수동: (~에 의하여) 짜증 난

→ -ing형
The noise is **annoying**. → 능동: 짜증 나게 하는

- The old lady is **annoyed.** 그 노부인은 짜증이 났다.
- The noise is **annoying.** 그 소음은 짜증 나게 만든다.

➜ annoyed와 annoying은 annoy(짜증 나게 하다)에서 만들어진 분사이지만 형용사로 굳어진 말들이다. annoyed는 수동의 의미이고, annoying은 능동의 의미이다.

능동과 수동의 의미를 갖는 분사 형용사

능동 의미		수동 의미	
amusing 재미있게 하는	boring 지루하게 하는	amused 재미를 느끼는	bored 심심한, 지루한
confusing 혼란케 하는	disappointing 실망시키는	confused 혼란을 느끼는	disappointed 실망한
exciting 재미있게 하는	frightening 무섭게 하는	excited 신이 난	frightened 무서운
interesting 흥미를 주는	surprising 놀라게 하는	interested 흥미를 느끼는	surprised 놀란
relaxing 긴장을 풀어주는	tiring 피곤케 하는	relaxed 긴장이 풀어진	tired 피곤해진

01 I think photography is ______________. (interest)
나는 사진이 흥미롭다고 생각한다. 〈사진과 interest가 능동 관계〉

02 I'm ______________ in photography. (interest)
나는 사진에 관심이 있다. 〈나와 interest가 수동 관계〉

03 It was an ______________ tennis match. (excite)
그것은 재미있는 테니스 시합이었다. 〈테니스 시합과 excite가 능동 관계〉

04 Everyone was ______________. (excite)
모두가 재미있어 했다. 〈모든 사람과 excite가 수동 관계〉

05 We're having a ______________ holiday. (relax)
우리는 편안한 휴일을 보내고 있다. 〈휴가와 relax가 능동 관계〉

06 We all feel ______________. (relax)
우리 모두는 편안함을 느낀다. 〈우리와 relax가 수동 관계〉

07 The results were quite ______________ to them. (disappoint)
그들에게 있어 그 결과는 꽤 실망스러웠다. 〈결과와 disappoint가 능동 관계〉

08 They were quite ______________ with the results. (disappoint)
그들은 그 결과에 꽤 실망했다. 〈그들과 disappoint가 수동〉

01 interesting 02 interested 03 exciting 04 excited 05 relaxing 06 relaxed 07 disappointing 08 disappointed

3 주격보어와 목적격보어

▶ 분사는 형용사 역할을 하므로 주격보어, 목적격보어로도 쓰인다. -ing는 주어/목적어와의 관계가 능동일 때 쓰이고, p.p.는 수동일 때 쓰인다.

① She looked **delighted**. (She – delighted: 수동 관계)

② The children came **running** to meet us. (The children – running to meet us: 능동 관계; She / The children → 주어)

③ Did you see the mountains **covered** with snow? (the mountains – covered with snow: 수동 관계)

④ They saw the thief **running** away. (the thief – running away: 능동 관계; the mountains / the thief → 목적어)

- She looked **delighted.** 그녀는 기뻐 보였다.
- The children came **running** to meet us.
  그 아이들은 우리를 만나러 뛰어왔다.

〈주격보어〉

- Did you see the mountains **covered** with snow?
  그 산맥이 눈으로 덮인 것을 보았니?
- They saw the thief **running** away.
  그들은 도둑이 뛰어서 달아나는 것을 보았다.

〈목적격 보어〉

01 They heard voices ________________ for help. (call)
그들은 도움을 요청하는 소리들을 들었다.

02 She was sitting ________________ at me. (smile)
그녀는 나를 향해 웃으며 앉아 있었다.

03 Have you ever heard the pop song ________________ in Japanese? (sing)
너는 그 대중가요가 일본어로 불린 것을 들어보았니?

04 We want the work ________________ by Saturday. (finish)
우리는 그 일이 토요일까지는 끝내지기를 원한다.

05 I found him ________________ under a tree. (doze)
나는 그가 나무 밑에서 졸고 있는 것을 발견했다.

06 How did they become ________________? (acquaint)
그들은 어떻게 서로 알게 되었니?

07 Can you get it ________________ by today? (do)
그것을 오늘까지 끝낼 수 있나요?

01 calling 02 smiling 03 sung 04 finished 05 dozing 06 acquainted 07 done

Exercises

Answers / p.09

A 다음 중 알맞은 것을 고르시오.

01 The news left me [wondering/wondered] what would happen next.

02 He couldn't make himself [hearing/heard].

03 It was [annoying/annoyed] to see people talking loudly on the subway.

04 According to a new study, a racially [balancing/balanced] school is good for education.

05 The poor people who live in shacks south of the city don't have [run/running] water.

B 다음 문장에서 어법상 틀린 부분을 찾아 바르게 고치시오.

01 No one may attend the lecture except invite guests.

02 The hotel had a welcome atmosphere.

03 Its economy depends on the export of various manufacture goods.

04 A remedy suggest for the common cold is to rest and to drink plenty of fluids.

05 After an exhaust trip of twelve hours, Jason fell asleep at the dinner table.

C 다음 주어진 단어를 이용하여 조건에 맞게 영작하시오.

조건 ① 필요 시 단어를 추가 및 변형할 것 ② 분사를 사용할 것

01 이 도시에는 많은 자극적인 활동이 있다. (there, many, stimulate, activity)

→ ______________________________

02 태국 코끼리들은 재미있는 묘기들을 보여주었다. (from, Thailand, amuse, trick)

→ ______________________________

03 그 경찰관은 한 남자가 나의 스마트폰을 훔치는 것을 보았다. (police officer, see, steal, smartphone)

→ ______________________________

04 그 오염된 물은 그 마을사람들을 아프게 만들었다. (contaminate, make, villager, sick)

→ ______________________________

05 나의 집 맞은편에 최근 지어진 건물은 멋져 보인다. (recently, construct, across, amaze)

→ ______________________________

LESSON 04

분사구문

1 분사구문의 형태

분사가 명사를 수식하지 않고 독립된 절로 쓰이는 것을 분사구문(participle clause)이라고 한다. 「접속사+주어+동사」 형태의 부사절을 분사를 이용하여 줄여 쓴 구문이다.

~~As she~~ **wanted** to ask a question, 〈부사절〉

Wanting to ask a question, 〈분사구문〉

~~Although it~~ was **hunted** close to extinction, 〈부사절〉

(Being) **Hunted** close to extinction, 〈분사구문〉

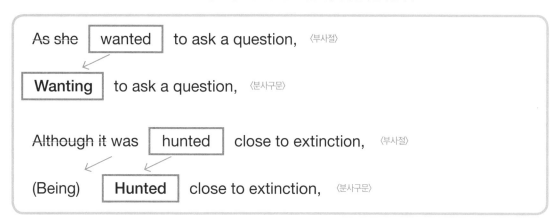

- **Wanting** to ask a question, the little girl raised her hand.
  질문을 하고 싶어서 그 여자 아이는 손을 들었다.
- **Hunted** close to extinction, the rhino is once again common in this area.
  코뿔소는 비록 멸종 상태까지 사냥되었지만 이 지역에서는 또 다시 번성하고 있다.

01 I walked out of the room, ______________ to myself. (smile)
나는 혼자 웃으면서 방을 걸어 나왔다.

02 I had an accident, ______________ to work. (drive)
나는 출근하다가 사고를 당했다.

03 She was lying awake all night, ______________ the events of the day. (recall)
그녀는 회상하면서 밤새 누워 있었다.

04 ______________ they might be hungry, I offered them something to eat. (think)
그들이 배고플지도 모른다고 생각해서 나는 그들에게 먹을 것을 제공했다.

05 ______________ in the car for hours, the baby was sleeping peacefully. (lock)
그 아기는 몇 시간 동안 차 안에 갇혀 있었지만 평화롭게 잠자고 있었다.

06 ______________ left at the intersection, you will find the post office. (turn)
교차로에서 왼쪽으로 꺾으면 우체국을 발견할 거예요.

07 ______________ in the corner, the air conditioner doesn't take up much space. (place)
그 에어컨은 구석에 설치되어서 많은 공간을 차지 않는다.

01 smiling 02 driving 03 recalling 04 Thinking 05 Locked 06 Turning 07 Placed

2 분사구문의 역할 ▶분사구문은 대개 부사절 역할을 하는 경우가 많다.

분사구문	주절
Wanting to ask a question,	the little girl raised her hand.
Hunted close to extinction,	the rhino is once again common in this area.

＝

부사절	주절
As she wanted to ask a question,	the little girl ~.
Although it was hunted close to extinction,	the rhino is ~.

분사구문의 역할 = 부사절 역할

Keep in Mind

부사절과 분사구문의 상호 전환(주어 및 시제가 같을 때)

When she opened her eyes, the baby began to cry. 〈부사절〉
→ **Opening her eyes**, the baby began to cry. 〈분사구문〉
아기는 눈을 뜨자 울기 시작했다.

❶ 접속사(When)를 삭제한다.
❷ 주절의 주어와 일치하는 부사절의 주어(she)를 삭제한다.
❸ 동사(opened)를 분사의 형태(opening)로 만든다.

3 분사구문의 의미 ▶분사구문의 의미는 주절과의 관계에서 동시상황, 연속·순서, 이유, 조건, 양보 등을 나타낸다.

01 Matthew injured his knee, ________________ gymnastics. (do)
Matthew는 체조를 하다가 무릎을 다쳤다. 〈동시상황〉

02 ________________ the bottle, Mike poured the drink. (open)
Mike는 병을 따고 그 음료를 따랐다. 〈연속〉

03 ________________ unemployed, he hasn't got much money. (be)
그는 실직했기 때문에 돈이 많지 않다. 〈이유〉

04 Being ________________ in the refrigerator, the drug should remain effective for months.
그 약은 냉장고에 보관되면 몇 달 동안은 유효할 것이다. 〈조건〉 (keep)

05 Although ________________ always helpful, he was not liked much. (be)
그는 항상 도움이 되었지만 인기는 많지 않았다. 〈양보〉

01 doing 02 Opening 03 Being 04 kept 05 being

4 분사구문의 주어 ▸ 분사구문의 주어는 주절의 주어와 일치한다.

Sam **Driving** to work in the rain, **Sam** had a flat tire. (O)
↳ 〈Sam was driving ~: 'Sam이 운전한다'가 되어 옳은 표현〉

Sam's car **Driving** to work in the rain, **Sam's car** got a flat tire. (X)
↳ 〈Sam's car was driving ~: 'Sam의 차가 운전한다'가 되어 틀린 표현〉

- **Driving to work in the rain,** Sam had a flat tire.
  Sam은 빗길에 운전해서 출근하다가 타이어가 펑크 났다.
- **Driving to work in the rain,** Sam's car got a flat tire. (X)

→ 분사구문의 주어는 주절의 주어와 일치한다. 따라서 첫 번째 문장의 driving의 주어가 Sam이고 두 번째 문장은 driving의 주어가 Sam's car이다. Sam was driving은 논리적으로 옳으나 Sam's car was driving은 논리적으로 옳지 않다.

01 ______________ in Quebec, he speaks French regularly. (live)
그는 퀘벡에 살아서 프랑스어를 일상적으로 쓴다. 〈주어는 he〉

02 ______________ my newspaper, I heard the doorbell ring. (read)
나는 신문을 읽다가 초인종 소리를 들었다. 〈주어는 I〉

03 Not ______________ his phone number, Susan couldn't contact him. (know)
Susan은 그의 전화번호를 알지 못해서 그에게 연락할 수가 없었다. 〈주어는 Susan〉

04 ______________ them the truth, you'll be able to calm them. (tell)
사실을 말하면 너는 그들을 진정시킬 수 있을 것이다. 〈주어는 you〉

05 ______________ me play soccer, my parents took many pictures of me. (watch)
내가 축구하는 것을 보시면서 부모님은 내 사진을 많이 찍으셨다. 〈주어는 my parents〉

Keep in Mind

분사구문과 주절의 주어가 다를 때

분사구문과 주절의 주어가 다를 경우, 대개는 접속사가 포함된 부사절로 표현하지만 드물게는 분사구문으로 만들기도 한다. 이때에는 분사구문 앞에 다른 주어를 주격으로 반드시 표시해야 한다.

As **it** was a national holiday, **all the shops** were shut. <it ≠ all the shops>
→ **It** being a national holiday, **all the shops** were shut.
국경일이어서 모든 상점이 문을 닫았다.

As **there** is no further business, **I** declare the meeting closed.
→ **There** being no further business, **I** declare the meeting closed. <there ≠ I>
더 이상의 안건이 없어서 나는 폐회를 선언합니다.

Exercises

Answers / p.09

A 다음 밑줄 친 부분 중, 어법상 틀린 것을 고르시오.

01 ① Lie by the swimming pool, I ② realized I ③ was getting ④ sunburned.

02 ① Surround ② by tall walls, the house ③ cannot ④ be seen from the outside.

03 ① Being a big festival ② yesterday, people ③ left work ④ earlier than usual.

04 The mechanic was ① repairing my car, ② danced to the rock music ③ coming from ④ the radio.

B 다음 두 문장이 같은 뜻이 되도록 빈칸을 알맞은 말로 채우시오.

01 When we arrived at the party, we saw Ruth standing alone.
= ______________ at the party, we saw Ruth standing alone.

02 As I was anxious to please him, I bought him a nice present.
= ______________ to please him, I bought him a nice present.

03 Because it is maintained regularly, my car is always in good shape.
= ______________ regularly, my car is always in good shape.

04 Because I didn't know the way, I had to ask for directions.
= ______________ ______________ the way, I had to ask for directions.

05 If you turn to the right, you will find the pharmacy.
= ______________ to the right, you will find the pharmacy.

C 다음 주어진 단어를 이용하여 조건에 맞게 영작하시오.

조건 ① 필요 시 단어를 추가 및 변형할 것 ② 접속사를 쓰지 말 것

01 그들은 바로 구조되어서 경미한 부상만 입었다. (rescue, immediately, only, suffer, minor injuries)
→ ______________________________

02 로마는 역사적인 도시이기에 많은 관광객에 의해 방문된다. (historical, Rome, visit, a lot, tourist)
→ ______________________________

03 그녀는 친구가 많이 없어서 보통 혼자 쇼핑한다. (not, many, usually, go shopping, alone)
→ ______________________________

04 내일 눈이 내린다면, 우리는 그 행사를 취소할 것이다. (it, snow, will, call off, event)
→ ______________________________

LESSON 05

분사구문의 능동(-ing) vs. 수동(-ed/p.p.)

❶ 의미상 주어

(I) **Feeling** tired, I went to bed early.

❷ 주어 & 분사의 관계 → I felt (tired) (능동)

❶ 의미상 주어

(The island) Viewed from a distance, **the island** looked like a cloud.

❷ 주어 & 분사의 관계 → The island was viewed (from a distance) (수동)

- **Feeling** tired, I went to bed early. 나는 피곤해서 일찍 자러 갔다.
- **Viewed** from a distance, the island looked like a cloud. 멀리서 보면 그 섬은 하나의 구름처럼 보였다.

→ 분사구문도 분사와 마찬가지로 –ing 형태와 p.p. 형태의 두 가지가 있다. Feeling은 주어 I와의 관계가 I felt ~로 능동이고, viewed는 주어 the island와의 관계가 the island was viewed ~로 수동이다.

01 ________________ before the war, the engine is still in perfect order.
그 엔진은 전쟁 전에 지어졌지만 아직도 완벽한 상태이다. 〈the engine과 build가 수동 관계〉

02 ________________ the equation, the mathematician faced new problems.
그 방정식을 풀면서 그 수학자는 새로운 문제에 직면했다. 〈the mathematician과 solve가 능동 관계〉

03 If ________________, this law will make life difficult for farmers.
이 법이 바뀌지 않으면 농부들의 삶이 어려워 질 것이다. 〈this law와 unchange가 수동 관계〉

04 ________________ the horror movie, Kate spilled her soft drink.
그 공포 영화를 보면서 Kate는 탄산음료를 흘렸다. 〈Kate와 watch가 능동 관계〉

05 ________________ at a warm temperature, milk will go bad in a few hours.
따뜻한 온도에 방치되면 우유는 몇 시간 뒤에 상할 것이다. 〈milk와 leave가 수동 관계〉

01 Built 02 Solving 03 unchanged 04 Watching 05 Left

Exercises

Answers / p.10

A 다음 중 알맞은 것을 고르시오.

01 [Writing / Written] in plain English, the book is fit for beginners.

02 [Finding / Found] only in the Andes, the plant is used to treat skin diseases.

03 Not [knowing / known] the password, Chloe couldn't log in.

04 [Unemploying / Being unemployed], Keith spent a lot of time filling in job application forms.

05 [Going / Gone] to bed late every night, they always feel tired in the morning.

B 다음 빈칸에 주어진 말의 알맞은 형태를 쓰시오.

01 ________________ white, the castle looks beautiful. (paint)

02 ________________ the dog running towards her, she quickly crossed the road. (see)

03 ________________ still hungry, the child ordered another slice of pizza. (be)

04 ________________ in traffic, they couldn't get to the airport on time. (stick)

05 ________________ all in black, the cartoon character cannot easily be seen at night. (dress)

C 다음 주어진 단어를 이용하여 조건에 맞게 영작하시오.

조건 ① 필요 시 단어를 추가 및 변형할 것 ② 접속사를 쓰지 말 것

01 달에서 봤을 때 우리의 행성은 공처럼 보인다. (see, planet, look like)

→ ____

02 술 취한 한 남자에 의해 공격을 받아서 그 경찰관은 화가 났다. (attack, drunken, get, angry)

→ ____

03 교실에 들어오시면서 선생님은 Mike에게 소리치셨다. (enter, yell at)

→ ____

04 혼자 남겨져서 그 아이는 외로움을 느꼈다. (leave, alone, kid, lonely)

→ ____

05 아버지는 자신의 차를 운전하시면서 통화를 하셨다. (drive, my father, talk, on)

→ ____

LESSON

06 기타 분사구문

1 접속사+분사구문

▸분사구문 앞에 때로는 접속사가 붙어 의미를 분명하게 하는 역할을 한다.

When + ordering a vehicle, you have to pay a deposit.

접속사 / 분사구문

- When **ordering** a vehicle, you have to pay a deposit. 자동차를 주문할 때에는 계약금을 내야 한다.

분사구문과 함께 쓰이는 접속사들 〉〉 after, before, since 뒤에는 -ing 형태만 가능하고 p.p. 형태는 불가능하다.

when/while/once (시간)	although/though/even though (양보)
as/as if/as though (방식)	after/before/since (시간)
if/unless (조건)	

01 Fill in the application form as ______________. (instruct)
지시대로 지원서를 작성하시오.

02 He took a shower after ______________ home. (return)
그는 집에 돌아온 후에 샤워를 했다.

03 Unless ______________ by credit card, please pay in cash. (pay)
카드 결제가 아니라면 현금으로 내세요.

2 완료 분사구문: Having+p.p.

▸분사구문이 주절의 시제보다 앞선 과거일 때 완료 형태인 「having+p.p.」를 쓴다.

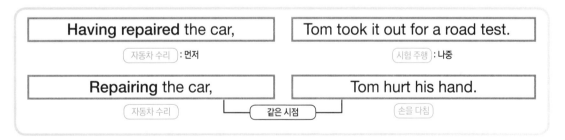

Having repaired the car, | Tom took it out for a road test.

자동차 수리 : 먼저 / 시험 주행 : 나중

Repairing the car, | Tom hurt his hand.

자동차 수리 — 같은 시점 — 손을 다침

- **Having repaired** the car, Tom took it out for a road test. Tom은 자동차를 수리한 후 도로 테스트를 위해 몰고 나갔다.
- **Repairing** the car, Tom hurt his hand. Tom은 자동차를 수리하다가 손을 다쳤다.

04 ______________ already ______________ the film twice, I didn't want to see it again. (see)
나는 그 영화를 이미 두 번 보았으므로 또 보러 가고 싶지 않았다.

05 ______________ ______________ their homework, they went out to play badminton. (finish)
그들은 숙제를 끝내고 배드민턴을 치러 나갔다.

01 instructed 02 returning 03 paying 04 Having, seen 05 Having finished

3 Being의 생략 ▸ 분사구문이 being으로 시작하면 그 being은 보통 생략된다.

→ 생략

Being too nervous to reply, = Too nervous to reply,

- **Being** too nervous to reply, he stared at the floor.
  = Too nervous to reply, he stared at the floor.
  그는 너무 긴장하여 대답을 못하고 바닥만 응시했다.

01 Although ______________ just two feet apart, they didn't speak.
└ Although just two feet apart, 그들은 비록 2피트 정도 떨어져 있었지만 말을 하지 않았다.

02 When ______________ questioned, she denied being a member of the group.
└ When questioned, 그녀는 심문을 받았을 때 그 단체의 일원이라는 것을 부인했다.

4 with+목적어+분사 ▸ 「with+목적어+분사」의 전체는 부사절의 역할을 하고, 이 중 with는 동시상황(while)이나 이유(because)의 접속사 역할을 한다. 목적어와 분사의 관계가 능동이면 -ing를, 수동이면 p.p.를 쓴다.

〈with의 역할〉

with +목적어+분사 → 전체가 부사절 역할

→ 접속사 역할 ⓐ 이유(because) / ⓑ 동시상황(while)

〈목적어와 분사의 관계〉

the mortgage | paid off → 과거분사 (수동 관계)

the crowds | cheering → 현재분사 (능동 관계)

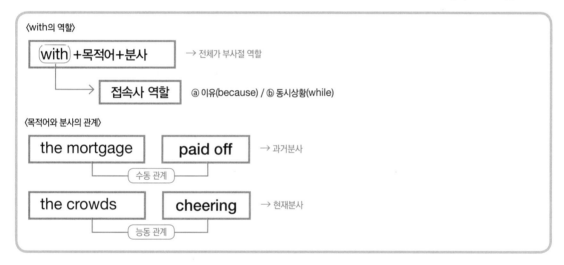

- **With** the mortgage **paid off**, they could go abroad for their vacation.
  그들은 융자금을 다 갚았으므로 휴가를 해외로 갈 수 있었다.
- **With** the crowds **cheering**, the royal party drove to the palace.
  군중들이 환호하는 가운데 그 왕이 탄 차량들은 왕궁으로 들어갔다.

03 They went out ______________ the door ______________. (unlock)
그들은 문을 잠그지 않은 채 외출했다.

04 ______________ Louis ______________ in Spain, we don't see him often. (live)
Louis가 스페인에 살아서 우리는 그를 자주 보지 못한다.

05 ______________ him ______________ so bad-tempered, I had to lie to him. (be)
그는 성질이 너무 까다로워서, 나는 그에게 거짓말을 해야 했다.

01 being 02 being 03 with, unlocked 04 With, living 05 With, being

Exercises

Answers / p.10

A 다음 밑줄 친 부분 중, 어법상 틀린 것을 고르시오.

01 ① One of the girls just ② stood there ③ with her hair ④ waved in the wind.

02 I ① took a wrong turn while ② drive to my uncle's house and ③ ended up back ④ where I started.

03 ① After ② studied the stars, the ancient Mayans in Central America ③ developed a very ④ accurate solar calendar.

04 ① Before an astronaut ② fly on a space mission, he will ③ undergo thousands of hours of ④ training.

05 ① Since we ② moving to London, we ③ haven't had time ④ to go to the theater.

B 다음 문장에서 어법상 틀린 부분을 찾아 바르게 고치시오.

01 He sat quietly for a while with his eyes closing.

02 Lost his wallet, he couldn't buy a present for me.

03 While I walking my dog, I enjoyed the beautiful sunset.

04 How can I feel relaxed with him watched me like that?

05 Too upset to eat, so Melanie was just sitting at the dinner table.

C 다음 주어진 단어를 이용하여 조건에 맞게 영작하시오.

조건 ① 필요 시 단어를 추가 및 변형할 것 ② 분사를 사용할 것

01 나의 상사는 그의 다리를 꼰 채로 소파에 앉아 있었다. (boss, sofa, with, cross)

→ ______________________________

02 그가 숙제를 마친 뒤 그 컴퓨터 게임을 했다. (do, play, computer game)

→ ______________________________

03 그녀가 질문을 받았을 때, 그녀는 울기 시작했다. (when, question, start, cry)

→ ______________________________

04 James는 자신의 개가 뒤따라오는 채로 조깅하고 있었다. (jog, with, follow)

→ ______________________________

05 비록 그들은 외국에서 공부하지만 자신들의 부모님을 그리워하지 않는다. (although, overseas, miss)

→ ______________________________

Review Test

[01-10] 다음 중 알맞은 것을 고르시오.

01 The lecture was [bored/boring]. I fell asleep.

02 She has learned really fast. She has made [astonishing/astonished] progress.

03 All gases and most liquids and solids expand [when/when they] heated.

04 [To be/Being] unprepared for the exam, I felt sure I would get a low score.

05 It's sometimes [embarrassed/embarrassing] when you have to ask people for money.

06 When [used/using] a dictionary, you need to be able to understand the symbols and abbreviations it contains.

07 Olga and Ivan weren't paying attention, so they didn't see the sign [marked/marking] their exit from the highway.

08 I'm not very fit. I was pretty [tiring/tired] after hiking for an hour.

09 My favorite place in the world is a small city [located/is located] on the southern coast of Brazil.

10 Some filmmakers are more [concerned/concerning] with what is being shown than how it is made.

[11-15] 다음 밑줄 친 부분 중, 어법상 틀린 것을 골라 바르게 고치시오.

11 *Ms. Magazine*, ①which began in 1972, ②has long been considered ③one of the ④led publications of the feminist movement.

12 ①There is an old legend ②telling among people in my country about a man ③who lived in the ④seventeenth century.

13 ①Seriously burned in a terrible car accident, the doctor ②was not sure ③that John could ④be protected from infection.

14 ①Having studied Greek ②for many years, ③Sarah's pronunciation was ④easy to understand.

15 While ①over half a billion dollars of aid has been ②pouring into the region, much of it ③has been slow to reach the ④affect areas.

[16-20] 다음 빈칸에 들어갈 말로 알맞은 것을 고르시오.

16 Before ____________ the job offer, I will discuss it at length with my whole family.

① accept ② having been accepted
③ accepted ④ accepting

17 ____________ , glasses can correct most sight defects.

① Fitting well ② Well fitted when
③ When well fitted ④ If well fitting

18 ____________ with life in the country, life in the city is much more complicated and more likely to entail stress-related health problems such as heart disease.

① Compare ② Comparing ③ To compare ④ Compared

19 Once, when it started to rain, Albert Einstein took off his hat and held it under his coat. ____________ why, he explained slowly that the rain would damage his hat, but not his hair.

① Ask ② Asked ③ Asking ④ Having asked

20 Last Saturday I attended a party ____________ by one of my friends. My friend, whose apartment is in another town, was very glad I could come.

① to give ② given ③ giving ④ has given

21 다음 글의 밑줄 친 부분을 바르게 고쳐 쓰시오.

The general was determined not to allow the enemy's forces a return voyage, but to send them to the bottom of the sea. <u>Stand</u> high on his flagship, he engaged his entire fleet in a battle with several hundred enemy ships.

[22-23] 다음 글에서 <u>어법상</u> 틀린 것을 찾아 바르게 고쳐 쓰시오.

22 The event, often calling "the Great Chicago Fire," began in a barn belonging to a woman named Mrs. O'Leary. Within minutes, buildings all over the city were on fire.

23 Typically, when the subject of homelessness comes up, most people conjure an image of the single man on the street corner asked for spare change.

24 다음 글의 빈칸에 알맞은 말이 바르게 짝지어진 것은?

For Westerners, Asia is an object of curiosity, with filmmakers often ___(A)___ to the Orient for inspiration. Disney is no exception. "Legends of the Ring of Fire," an animated film ___(B)___ on Asian legends, is being aired on the Disney Channel.

	(A)		(B)
①	turning	……	basing
②	turning	……	based
③	to turn	……	basing
④	to turn	……	based

01 다음 글의 밑줄 친 부분 중, 어법상 틀린 것은? 기출 변형

English speakers have one of the simplest systems when it comes to describing familial relationships. However, many African language speakers would consider it silly ① to use a single word like "cousin" when describing both male and female relatives, or not to distinguish whether the person ② describing is related by blood to the speaker's father or to his mother. Not being able to distinguish a brother-in-law as the brother of one's wife or the husband of one's sister would seem ③ confusing within the structure of personal relationships ④ existing in many cultures. Likewise, how is it possible ⑤ to make sense of a situation where a single word "uncle" applies to the brother of one's father and to the brother of one's mother? People of Northern Burma, who speak Jinghpaw, have eighteen basic words for describing their relatives. Not one of them can be directly translated into English.

02 (A), (B), (C)의 각 네모 안에서 어법에 맞는 표현으로 가장 적절한 것은? 기출 변형

Are you honest with yourself about your strengths and weaknesses? (A) [Get / Getting] to really know yourself and learn what your weaknesses are. Accepting your role in your problems means that you understand the solution lies within you. If you aren't strong enough in a certain area, get (B) [educated / educating] and do what you have to do to improve things for yourself. If your social image isn't great, look within yourself and take the necessary steps to make it better, TODAY. You possess the ability to choose how to respond to life. Decide today to end all the excuses, and stop lying to yourself about what is happening. You begin to grow when (C) [beginning / began] to personally accept responsibility for your choices.

	(A)		(B)		(C)
①	Get	……	educated	……	beginning
②	Getting	……	educated	……	began
③	Get	……	educating	……	began
④	Getting	……	educating	……	beginning
⑤	Get	……	educating	……	beginning

Let's Recap

1 분사란?

- 형태: 동사원형+-ing/-ed
- 역할: 명사 수식

2 현재분사(-ing) & 과거분사(-ed/p.p.)

- the girl wearing mittens 〈능동〉
- mittens worn by the girl 〈수동〉

3 분사 역할의 확장

- 분사+명사: a sleeping baby, a stolen bike
- 분사형용사: amusing – amused, interesting – interested, boring –bored
- 주격보어: **The movie** is boring.
- 목적격보어: I found **the movie** boring.

4 분사구문

- 형태: 접속사+주어+동사 ~ ➜ -ing/-ed ~
- 역할: 주로 부사절
- 의미: 동시상황, 연속, 이유, 조건, 양보
- 주어: 주절의 주어와 일치할 때 생략

모르면 미끄러지는 다빈출 문법 포인트

★ 분사구문과 주절의 주어가 다를 경우, 주어 생략 금지
There being so many people on the road, **I** couldn't find my children.

5 분사구문의 능동(-ing)과 수동(-ed/p.p.)

- Breaking the windows, the thief was trying to get inside. 〈능동〉
- Broken into pieces, the vase has no value now. 〈수동〉

6 기타 분사구문

- 접속사+분사구문: (While) Playing baseball with his friends, ~
- 완료 분사구문: Having had a big breakfast, ~
- Being의 생략: (Being) Embarrassed about his situation,
- with+목적어+분사: With his cat left alone in the room, ~

서술형 대비
Workbook

LESSON 01

to부정사의 형태와 특징

Answers / p.12

A 주어진 말을 어법에 맞게 바꿔 문장을 완성하시오.

01 She didn't agree ________________ help from the boss. (seek)

02 The refugees hope ________________ down in this area. (settle)

03 They planned ________________ out for dinner tonight. (go)

04 It was difficult for the children ________________ the test before lunch. (finish)

05 The guests were shocked ________________ the news. (hear)

06 They have many rules ________________ in school. (follow)

B 우리말과 같은 뜻이 되도록 주어진 말을 이용하여 문장을 완성하시오.

01 그 운동선수는 올림픽에서 금메달 따는 것을 실패했다. (fail, win)

→ The athlete ______________________________ a gold medal in the Olympic Games.

02 그 관광객들은 버스 대신에 지하철을 타기로 결정했다. (decide, take)

→ The tourists ______________________________ the subway instead of the bus.

03 Jessica는 수줍음이 많아서 우리와 함께 점심 먹는 것을 항상 거절한다. (refuse, have)

→ Jessica always ______________________________ lunch with us because she's shy.

04 그는 결투가 끝난 뒤에 나와 악수하기를 원하지 않았다. (want, shake)

→ He didn't ______________________________ hands with me after the fight.

C 우리말과 같은 뜻이 되도록 주어진 단어를 알맞게 배열하시오.

01 Jake는 홍콩에 있는 친구에게 전화하려고 일찍 일어났다. (call, early, to, got up)

→ Jake ______________________________ his friend in Hong Kong.

02 Claire의 가장 좋아하는 취미는 언니들과 함께 코미디 영화를 보는 것이다. (comedy movies, to, is, watch)

→ Claire's favorite pastime ______________________________ with her sisters.

03 그들이 그 암벽을 오르는 것은 불가능하다. (climb, them, for, to)

→ It is impossible ______________________________ the rocky cliff.

04 Woods 박사님은 당신과 가족께 드릴 중요한 말씀이 있습니다. (tell, important, something, to, has)

→ Dr. Woods ______________________________ you and your family.

LESSON 02

to부정사의 명사 역할

Answers / p.12

A 〈보기〉에서 알맞은 말을 골라 어법에 맞게 바꿔 문장을 완성하시오.

보기 buy major get solve cancel

01 The students tried ______________ the physics question but failed to get the answer.

02 My parents want me ______________ in chemical engineering.

03 Due to the blackout caused by the blizzard, we decided ______________ the meeting.

04 Steve's plan is ______________ employed as soon as he graduates from high school.

05 I can't afford ______________ a car because I'm broke.

B 〈보기〉에서 알맞은 말을 골라 「의문사 + to부정사」로 바꿔 문장을 완성하시오.

보기 paint speak put cook

01 너의 아버지에게 이 전등을 어디다 놓아야 할지 알려드려라.

→ Please tell your father ________________ this lamp.

02 요즘 아이들은 매우 어린 나이에 다른 언어를 말하는 것을 배운다.

→ Nowadays children learn ________________ other languages at a very young age.

03 그들은 울타리를 언제 칠해야 할지 결정하지 않았다.

→ They haven't decided ________________ the fence.

04 나는 저녁 식사로 무엇을 요리해야 하는지 정말 모르겠다.

→ I don't really know ________________ for dinner.

C 두 문장이 같은 의미가 되도록 문장을 다시 쓰시오.

01 To send text messages while driving can be very dangerous.

→ ______________________________________ text messages while driving.

02 Nicole hasn't decided whether she should throw a party.

→ Nicole hasn't decided ______________________________________.

03 To satisfy my parents is almost impossible.

→ ______________________________________ my parents.

04 Most freshmen don't know which subjects they should choose.

→ Most freshmen don't know ______________________________________.

LESSON 03

to부정사의 형용사 역할

Answers / p.12

A 〈보기〉와 같이 두 문장을 의미가 통하도록 한 문장으로 바꿔 쓰시오.

보기 They have made a decision. They're going to travel across Canada.
→ They have made a decision to travel across Canada.

01 The puppy is thirsty. She wants to drink something.
→ The puppy ______________________ because she is thirsty.

02 These street cats need someone. He or she should feed them.
→ These street cats need ______________________ them.

03 This coffee is too strong for me. I want to put some milk in my coffee.
→ I want ______________________ my coffee.

B 우리말과 같은 뜻이 되도록 주어진 단어를 이용하여 문장을 완성하시오.

01 Ken은 차를 대여할 충분한 돈이 없다. (money, rent)
→ Ken doesn't have ______________________ a car.

02 그 청소부는 바닥을 쓸 빗자루가 필요하다. (a broom, sweep, the floor)
→ The janitor needs ______________________.

03 그녀는 돈을 빌릴 친구가 한 명도 없다. (any friends, borrow)
→ She doesn't have ______________________.

04 이것들을 담을 비닐봉지 하나만 주시겠어요? (a plastic bag, put, these)
→ Can I have ______________________?

C 우리말과 같은 뜻이 되도록 주어진 단어를 배열하시오.

01 우리가 계약서에 서명하기 전에 거쳐야 할 많은 단계가 있다. (through, many, to, steps, go)
→ There are ______________________ before we sign the contract.

02 모든 것이 잘 될 것이니 걱정할 것은 아무것도 없다. (worry, nothing, there's, to, about)
→ Everything will be all right, so ______________________.

03 부인이 죽은 뒤로, 그는 의지할 사람이 없었다. (have, rely, he, anyone, on, to, didn't)
→ Since his wife passed away, ______________________.

04 내가 옮겨야 할 무거운 짐이 많다. (heavy boxes, lots of, I, move, have, to)
→ ______________________

to부정사의 부사 역할

Answers / p.12

A 〈보기〉에서 알맞은 말을 골라 문장을 완성하시오. (단, to부정사를 쓸 것)

보기 hear demand get be donate

01 Mary headed back to the store ____________ a refund.

02 Terry went to the barbershop ____________ a haircut.

03 Mrs. McLeod must be generous ____________ a lot of money for sick children.

04 He grew up ____________ a world-famous artist.

05 He was relieved ____________ that his daughters weren't hurt in the accident.

B 우리말과 같은 뜻이 되도록 주어진 단어를 이용하여 문장을 완성하시오.

01 나의 형은 괜히 그 문제를 꺼냈다가 Jay를 더 기분 나쁘게 만들었다. (make, feel worse)

→ My brother brought up the issue only ________________________.

02 그들은 아버지가 심각한 상태라는 이야기를 듣고 충격을 받았다. (shocked, hear)

→ They were ________________________ that their father was in serious condition.

03 나중에 그것을 잊어버리지 않도록 너는 그것을 적어 놓아야겠다. (so, forget)

→ Maybe you should write it down ________________________ it later.

04 자신을 속인 사람을 용서하다니 그는 관대한 사람임에 틀림이 없다. (tolerant, forgive)

→ He must be ________________________ the person who deceived him.

C 우리말과 같은 뜻이 되도록 주어진 단어를 배열하시오.

01 나의 숙제를 도와주다니 너는 정말 친절하구나. (my homework, of, help, with, you, to, me)

→ It is very kind ________________________.

02 그녀는 세계적으로 유명한 패션모델이 되기 위해 이탈리아로 가기로 결심했다.
(in order to, to Italy, be, to go, a world-famous fashion model)

→ She decided ________________________.

03 우리 할아버지는 운전을 하시기에는 연세가 너무 많으시다. (drive, too, a car, old, to)

→ My grandfather is ________________________.

04 나의 형들은 내가 거짓말을 했다는 것을 알고 매우 실망했다. (know, disappointed, very, to, were)

→ My brothers ________________________ that I lied to them.

동사 + 목적어 + (to)부정사

Answers / p.12

A 두 문장이 같은 의미가 되도록 문장을 완성하시오.

01 I heard the baby cry for most of the night.

→ The baby was ________________ for most of the night.

02 The teacher allowed Mindy to play with her smartphone.

→ Mindy was ________________ with her smartphone by the teacher.

03 My mom made us wear silly costumes for Halloween.

→ We were ________________ silly costumes for Halloween.

04 Mr. Sandler saw some students play basketball in the gym.

→ Some students were ________________ basketball in the gym by Mr. Sandler.

B 다음 문장에서 밑줄 친 부분을 바르게 고치시오.

01 Natalie made us <u>writing</u> a letter to our parents.

02 I would like you <u>repeat</u> after me.

03 We are required <u>submitting</u> our portfolios by Friday.

04 You are not permitted <u>entered</u> the room.

05 Owen got <u>they wash</u> his car for him.

C 우리말과 같은 뜻이 되도록 주어진 단어를 배열하시오.

01 Jerry는 나에게 그 독성 식물을 만지지 말라고 말했다. (not, touch, me, to, told)

→ Jerry ________________________________ the poisonous plant.

02 그 경찰관은 그 용의자가 화장실에 가는 것을 허락하지 않았다. (use, didn't, the suspect, let)

→ The police officer ________________________________ the bathroom.

03 Paul은 자정 전에 그의 비행기가 착륙하기를 예상한다. (land, expects, his flight, to)

→ Paul ________________________________ before midnight.

04 Alison은 여동생이 과학프로젝트를 완성하는 것을 도왔다. (complete, helped, sister, her)

→ Alison ________________________________ her science project.

LESSON 06

원형부정사

Answers / p.12

A 〈보기〉에서 알맞은 말을 골라 어법에 맞게 바꿔 문장을 완성하시오.

보기 make fun of study leave get up show up

01 Blake will help me ______________ for the exam.

02 She couldn't but ______________ in the middle of the night.

03 We all know better than ______________ our classmate.

04 All you have to do is ______________ at the party.

05 Did you guys make Roy ______________ the office?

B 주어진 말을 어법에 맞게 바꿔 문장을 완성하시오.

01 James felt something ______________ his arm. (touch)

02 This might ______________ the last time we see each other. (be)

03 We have no choice but ______________ new staff. (hire)

04 All they could do was ______________ the house burn down. (watch)

05 Nobody noticed the bird ______________ into the kitchen. (come)

06 My mom wouldn't let me ______________ the ring I found under the tree. (keep)

C 우리말과 같은 뜻이 되도록 주어진 단어를 배열하시오.

01 그 최고경영자는 사임하는 것 외에 다른 대안이 없었다. (resign, had, but, no, to, alternative)

→ The CEO ____.

02 그 인턴은 인터넷 검색만 했다. (the Internet, nothing, but, did, surf)

→ The intern ____.

03 Moore 가족은 정원사에게 단풍나무를 심도록 했다. (maple trees, had, plant, gardener, their)

→ The Moores ____.

04 그 감독은 자신의 결정에 대해서 후회할 수밖에 없다. (his decision, cannot, but, help, regret)

→ The coach ____.

LESSON 07

기타 to부정사 및 be to 용법

Answers / p.13

A 〈보기〉에서 알맞은 말을 골라 어법에 맞게 바꿔 문장을 완성하시오.

보기 survive wake up leave see include

01 The child seems ________________ the ghost. He hasn't eaten anything ever since.

02 No one was ________________ in the storm.

03 The batteries need ________________ in the package.

04 If you are ________________ the country, you need to apply for a passport.

05 I turned the volume down so as not ________________ the baby.

B 다음 문장에서 밑줄 친 부분을 바르게 고치시오.

01 There are more trees in the yard than there <u>used</u>.

02 My wallet was <u>to not</u> be found anywhere in the house.

03 She seems <u>to have getting lost</u> in the woods.

04 The new manager wanted his opinion <u>to respected</u> by others.

05 It seems that Mike <u>to have been</u> to the country before.

06 I would like to <u>saw</u> the actress in person. I can't believe she just left.

C 우리말과 같은 뜻이 되도록 주어진 단어를 이용하여 문장을 완성하시오.

01 당신은 최종 결정을 내리셔야 합니다. (be, make)

→ You ________________________________ a final decision.

02 그 버스기사는 그 개를 치지 않기 위해서 급하게 브레이크를 밟아야 했다. (order, run over)

→ The bus driver had to hit the brakes ________________________________ the dog.

03 그 아이들은 자신의 부모님을 다시는 결코 만나지 못할 운명이었다. (be, never, meet)

→ The kids ________________________________ their parents again.

04 그 관광객은 자신의 비자를 갱신한 것으로 추정된다. (believe, renew)

→ The tourist ________________________________ her visa.

05 창문들은 정오 전까지 청소되어야 한다. (need, clean)

→ The windows ________________________________ before noon.

to부정사 vs. 동명사

Answers / p.13

A 〈보기〉에서 알맞은 말을 골라 어법에 맞게 바꿔 문장을 완성하시오.

보기 press come tell visit

01 He remembers ____________ the museum.

02 In case the door doesn't open, try ____________ the red button.

03 Evan regrets ____________ her the truth.

04 Andy was so busy with his work and forgot ____________ to my wedding.

B 우리말과 같은 뜻이 되도록 주어진 단어를 이용하여 문장을 완성하시오.

01 네가 역에 도착할 때 반드시 내게 전화할 것을 기억해라. (remember, call)

→ Make sure you ______________________ when you arrive at the station.

02 네가 더 이상 우리 팀이 아니라는 것을 알리기 되어 정말 유감이다. (regret, tell)

→ I really ______________________ that you are no longer on my team.

03 나는 Jeremy가 나의 기분을 상하게 할 의도는 아니었다는 것을 아주 확신해. (not, mean, hurt)

→ I am pretty sure Jeremy ______________________ my feelings.

04 Henry는 하늘에 있는 구름을 보려고 갑자기 멈췄다. (stop, look at)

→ Henry suddenly ______________________ the clouds in the sky.

C 우리말과 같은 뜻이 되도록 주어진 단어를 배열하시오.

01 다이어트를 한다는 것은 후라이드 치킨과 작별하는 것을 뜻한다.
(a diet, good-bye, means, saying, going on)

→ ______________________________ to fried chicken.

02 이 맛있는 케이크를 먹는 것을 멈추기는 어렵다. (hard, eating, is, to, it, stop)

→ ______________________________ this delicious cake.

03 네가 영어 실력을 키우고 싶다면 한국 TV 프로그램을 안 보도록 노력해라.
(TV shows, not, try, watch, Korean, to)

→ If you want to improve your English, ______________________.

04 우리는 영부인을 직접 만난 것을 절대 못 잊을 거야. 그녀는 품격 있고 우아했어.
(the First Lady, will, meeting, we, forget, never)

→ ______________________ in person. She was graceful and elegant.

동명사의 형태와 역할

Answers / p.13

A 주어진 말을 어법에 맞게 바꿔 문장을 완성하시오.

01 ____________ my dog in the evening is my favorite pastime. (walk)

02 I'm sorry for not ____________ to your message right away. (reply)

03 Would you mind ____________ the windows for me? (open)

04 ____________ various vegetables every day is recommended for your health. (eat)

B 우리말과 같은 뜻이 되도록 주어진 말을 이용하여 문장을 완성하시오.

01 그는 저녁 식사 후 산책할 것을 제안했다. (suggest, go for a walk)

→ He ________________________________ after dinner.

02 그 영화를 본다는 생각에 그녀는 매우 신이 났다. (watch, the movie)

→ The thought of ________________________ made her so excited.

03 우리는 모래성을 만드는 것 대신에 수영을 가기로 했다. (instead of, make, a sandcastle)

→ We decided to go swimming ________________________.

04 Mark는 의사로서의 경력을 발전시켜나가는 것을 포기했다. (give up, develop)

→ Mark ________________________ his career as a doctor.

C 〈보기〉와 같이 두 문장을 의미가 통하도록 한 문장으로 바꿔 쓰시오.

보기 I don't like to swim in the river. I'm afraid of it.
→ I am afraid of swimming in the river.

01 She often writes poems. She really enjoys that activity.

→ She often enjoys ________________________.

02 My brother often plays mobile games. It's his favorite hobby.

→ My brother's favorite hobby is ________________________.

03 Mr. Sanders worked overtime all week long. He is very tired.

→ ________________________ made Mr. Sanders very tired.

04 Jennifer is interested in some language programs. She wants to learn German and Italian.

→ Jennifer is interested in ________________________.

동명사의 여러 가지 역할

Answers / p.13

A 밑줄 친 부분의 역할을 〈보기〉에서 고르 쓰시오.

보기 ⓐ 주어 ⓑ 동사의 목적어 ⓒ 보어 ⓓ 전치사의 목적어

01 Sharing information about themselves online is an important part of youth culture.

02 The male Emperor penguin is well known for keeping his egg warm for months.

03 Tyler's new hobby is snowboarding.

04 Born and raised near the beach, Eric enjoys surfing on weekends.

05 Ironically, the rocker's greatest fear is singing in front of a large crowd.

06 Gardening is a great way of reducing stress and staying healthy.

B 주어진 말을 어법에 맞게 바꿔 문장을 완성하시오.

01 They tried to avoid ____________ overtime. (work)

02 The gentleman postponed ____________ his own house until he saved enough money. (buy)

03 My daughter insisted on ____________ a higher monthly allowance. (get)

04 The girls denied ____________ the false rumor. (spread)

05 Mr. Murray tried to quit ____________, but he was too addicted. (smoke)

06 This job involves ____________ products and dealing with customers. (order)

C 〈보기〉에서 알맞은 말을 골라 어법에 맞게 바꿔 문장을 완성하시오.

보기 eat stay look after spend conduct

01 I look forward to ____________ time with her this Saturday.

02 The scientist is used to ____________ awake until late at night.

03 Many people nowadays object to ____________ experiments on animals.

04 My mom couldn't help ____________ a snack.

05 Father James dedicated his whole life to ____________ orphans.

LESSON 03

동명사의 특징

Answers / p.13

A 〈보기〉와 같이 동명사의 의미상의 주어를 이용한 문장으로 바꿔 쓰시오.

보기 You talk behind my back. I can't stand it.
→ I can't stand you[your] talking behind my back.

01 She always chats during the group work in class. I don't like it.
→ I don't like ______________________________.

02 Some parents let their children run around in restaurants. I can't tolerate that.
→ I can't tolerate ______________________________.

03 My daughter won first prize in the dance contest. We were surprised at the news.
→ We were surprised at ______________________________.

04 I appreciate that you looked after my kids for three days.
→ I appreciate ______________________________.

B 우리말과 같은 뜻이 되도록 주어진 단어를 알맞게 배열하시오.

01 나는 너에게 돈을 갚지 않아서 미안하다. (sorry, paid, for, I'm, having, not)
→ ______________________________ you back the money.

02 사고가 일어나기 전 그녀는 나를 만났던 것을 기억하지 못했다. (me, didn't, she, recall, met, having)
→ ______________________________ before the accident.

03 많은 십대들이 어른들에게 이해 받지 못한다고 불평한다. (not, understood, about, being, complain)
→ Many teenagers ______________________________.

C 우리말과 같은 뜻이 되도록 주어진 말을 이용하여 문장을 완성하시오.

01 내가 너의 전화번호를 물어봐도 되겠니? (mind, I, ask)
→ Do you ______________________________ you your phone number?

02 그녀는 신발에 너무 많은 돈을 쓴 것을 후회한다. (regret, spend, too much money)
→ She ______________________________ on shoes.

03 그 두 학생은 서로 싸운 것에 대해 벌을 받을까 봐 두려웠다. (afraid of, punish)
→ The two students ______________________________ for fighting with each other.

LESSON 04

동명사의 관용 표현

Answers / p.13

A 〈보기〉에서 알맞은 말을 골라 어법에 맞게 바꿔 문장을 완성하시오.

보기 grade mention concentrate decorate

01 His salary is not worth ____________.

02 The students had difficulty ____________ on studying because they were tired.

03 There is no point in ____________ my old house.

04 The teacher is busy ____________ his students' essays.

B 우리말과 같은 뜻이 되도록 주어진 단어를 이용하여 문장을 완성하시오.

01 이제 변명을 해봐야 소용이 없다. (no use, make, excuses)

→ It is ______________________________ now.

02 나는 그의 영국 억양을 이해하는 데 애를 먹었다. (have trouble, understand)

→ I ______________________________ his British accent.

03 그는 주말을 소설을 읽으며 보낼 것이다. (spend, the weekend, read)

→ He will ______________________________ novels.

04 그녀는 이렇게 추운 날에 낚시를 하러 가고 싶지 않았다. (feel like, go fishing)

→ She didn't ______________________________ on this cold day.

C 문장의 의미가 통하도록 주어진 말을 이용하여 문장을 완성하시오.

01 It is useless to regret it now. (no use)

→ It ______________________________ it now.

02 It is impossible to return to the past. (there, no)

→ ______________________________ to the past.

03 They were planning their trip and had little time to do anything else. (busy)

→ They ______________________________ their trip.

04 He doesn't want to have dinner with us. (feel)

→ He doesn't ______________________________ dinner with us.

분사란?

Answers / p.14

A 밑줄 친 단어가 현재분사인지 동명사인지 구분하시오.

01 The waiting room is full of patients. __________

02 Make sure you bring your sleeping bag for the camping tonight. __________

03 The police are doing everything they can to find the missing child. __________

04 My brother is fixing the broken chair in the garage. __________

05 The princess looked amazing in her new dress. __________

06 You can find all the latest cleaning equipment at the hardware store. __________

B 다음 문장에서 밑줄 친 부분을 바르게 고치시오.

01 The lady talk on the phone is my boss.

02 These are some of the engine parts making in Germany.

03 The teenagers are waiting in the hallway aren't my fans.

04 You can see many people walked their dogs in the park.

05 The playing children on the beach are my nephews.

C 우리말과 같은 뜻이 되도록 주어진 단어를 배열하시오.

01 검은색 목도리를 착용한 그 남자는 Dickinson 교수님이다. (a black scarf, wearing, the man)

→ ______________________________ is Professor Dickinson.

02 그 파티에 초대된 손님들은 값비싼 선물을 갖고 왔다. (invited, the guests, the party, to)

→ ______________________________ brought expensive presents.

03 그의 취미는 고대 영어로 쓰인 소설을 읽는 것이다. (Old English, novels, in, written)

→ His hobby is reading ______________________________.

04 누군가가 신선한 염소우유로 가득 찬 병들을 그 상자에서 훔쳐 갔다. (goat milk, with, the bottles, filled, fresh)

→ Someone stole ______________________________ from the box.

05 우리 미술 선생님은 선명한 색으로 칠한 그림을 수집해왔다. (colors, pictures, vivid, in, painted)

→ My art teacher has been collecting ______________________________.

LESSON 02

현재분사 vs. 과거분사

Answers / p.14

A 〈보기〉에서 알맞은 것을 골라 현재분사나 과거분사로 바꿔 문장을 완성하시오.

보기 bark steal lean burn

01 그 도둑의 방은 도서관에서 훔친 스마트폰으로 가득했다.

→ The thief's room was full of smartphones ____________ in the library.

02 그들은 불에 탄 목재의 잿더미를 치우고 있었다.

→ They were cleaning up the ashes of ____________ wood.

03 저쪽에 벽에 기대어 서 있는 남자 아이는 누구니?

→ Who is the boy ____________ against the wall over there?

04 짖는 개는 좀처럼 물지 않는다.

→ ____________ dogs seldom bite.

B 주어진 말을 어법에 맞게 바꿔 문장을 완성하시오.

01 There is a ____________ number of abandoned pets in Korea. (grow)

02 The meeting ____________ yesterday was really important. (cancel)

03 We were all moved by the speaker's ____________ speech. (inspire)

04 Some of the customers ____________ with our service left these thank-you messages. (satisfy)

05 Most of the questions ____________ during the interview weren't related to the job. (ask)

C 우리말과 같은 뜻이 되도록 주어진 단어를 이용하여 문장을 완성하시오.

01 지난주에 배달된 그 꽃들은 아직도 살아 있다. (flower, deliver)

→ ____ are still alive.

02 자신의 트럭을 주차하던 운전기사는 주변에 있던 그 아이들을 못 봤다. (driver, park)

→ ________________________________ didn't see the kids around him.

03 우리 아빠는 최근에 그 유명한 건축가가 설계한 건물 한 채를 사셨다. (building, design, architect)

→ My dad recently bought ____________________________________.

04 관객 전부가 무대에서 공연하고 있는 배우들에게 큰 박수를 보냈다. (actor, perform, on the stage)

→ The whole audience gave ______________________ a round of applause.

LESSON 03

분사 역할의 확장

Answers / p.14

A 주어진 말을 어법에 맞게 바꿔 문장을 완성하시오.

01 Driving in the storm was a ____________ experience for me. (terrify)

02 My grandfather's snoring was very ____________. (annoy)

03 She was ____________ at the gift her uncle bought for her. (amaze)

04 I was ____________ by their sudden and unexpected visit. (surprise)

05 Shopping is not as ____________ to men as to women. (excite)

B 다음 문장에서 밑줄 친 부분을 바르게 고치시오.

01 I saw elephants <u>danced</u> in front of the tourists.

02 My classmates watched me <u>to play</u> the drums.

03 We are supposed to keep the document <u>sealing</u>.

04 The groom and the bride both looked <u>exhausting</u> at the wedding.

05 The owner will have the walls <u>taking</u> down for a better view.

C 우리말과 같은 뜻이 되도록 주어진 단어를 배열하시오.

01 모두가 그 흥미로운 농구 경기를 즐겼다. (interesting, enjoyed, basketball game, the)

→ Everyone ______________________________________.

02 누가 다치기 전에 제발 문 좀 수리해 주세요. (fixed, the, get, door)

→ Please ______________________________ before someone gets hurt.

03 이것은 신체적으로 장애가 있는 운동선수들을 위한 특별한 행사입니다.
(athletes, a, for, event, physically, special, challenged)

→ This is ______________________________________.

04 6시 전에 이 파일들이 검토되면 좋겠습니다. (checked, these, before 6, have, files)

→ I would like to ______________________________________.

05 그녀는 지진 중에 자신의 책상이 흔들리는 것을 느낄 수 있었다. (shaking, feel, desk, her, could)

→ She ______________________________ during the earthquake.

분사구문

Answers / p.14

A 〈보기〉에서 알맞은 것을 골라 현재분사나 과거분사로 바꿔 문장을 완성하시오.

보기 ask listen cross finish be

01 ____________ the street, you must look both ways.

02 I had supper, ____________ to the radio.

03 ____________ your homework, you can go out to play in the snow.

04 ____________ very old, they still go hiking every Saturday.

05 ____________ him for advice, you will be able to get help from the professor.

B 주어진 접속사를 이용하여 문장의 의미가 통하도록 문장을 완성하시오.

01 Winning a gold medal, he gave the medal to his coach. (after)

→ ______________________________, he gave the medal to his coach.

02 Being excited about the school trip, they couldn't get to sleep. (as)

→ ______________________________, they couldn't get to sleep.

03 Singing the song, she thought about her children. (while)

→ ______________________________, she thought about her children.

04 Living in Canada, we don't speak English at home. (even though)

→ ______________________________, we don't speak English at home.

C 우리말과 같은 뜻이 되도록 주어진 말과 분사구문을 써서 문장을 완성하시오.

01 그는 심하게 다쳐서 수술을 받아야 했다. (be, seriously, injured)

→ ______________________________, he had to have a surgery.

02 운전을 하며 출근하는 동안 그녀는 항상 커피를 마신다. (drive, to, work)

→ ______________________________, she always drinks coffee.

03 그는 나를 가볍게 포옹해 준 후 버스에 올라탔다. (give, a light hug)

→ ______________________________, he got on the bus.

04 정보가 충분히 있기에 우리는 쉽게 결정을 내릴 수 있었다. (there, enough, information)

→ ______________________________, we could make a decision easily.

분사구문의 능동 vs. 수동

Answers / p.14

A 다음 부사절을 〈보기〉처럼 분사구문으로 바꾸어 쓰시오.

보기 After she graduated from college, she started her internship right away.
→ Graduating from college, she started her internship right away.

01 While they were watching the movie, they kept talking to each other.
→ ______________________, they kept talking to each other.

02 If you observe it closely, you will understand how it can survive the heat.
→ ______________________, you will understand how it can survive the heat.

03 When she was introduced at the meeting, she smiled broadly at us.
→ ______________________, she smiled broadly at us.

04 As he was pleased with the result, he wanted to celebrate it with his co-workers.
→ ______________________, he wanted to celebrate it with his co-workers.

B 다음 문장에서 밑줄 친 부분을 바르게 고치시오.

01 Frightening to speak, the girl burst into tears.

02 Not had enough money, she had to skip lunch.

03 Knew for its excellent wines, the winery is visited by many people.

04 Worked day and night, mom tries so hard to put food on the table.

05 Been interested in K-pop, the British girl is learning how to speak Korean.

C 우리말과 같은 뜻이 되도록 주어진 단어를 배열하시오.

01 왼쪽으로 돌면, 쇼핑센터 옆에 있는 경기장이 보일 거예요. (the left, to, turning)
→ ______________________, you will see the stadium next to the shopping center.

02 알 수 없는 언어로 쓰여 있기에 그 필사본은 번역될 수 없다. (unknown, an, written, language, in)
→ ______________________, the manuscript cannot be translated.

03 곧 도착할 것이라고 예상되었지만 그 기차는 사실 30분 동안 나타나지 않았다. (arrive, expected, to, soon)
→ ______________________, the train actually didn't show up for the next 30 minutes.

04 자신의 친구들로 가득한 홀에 들어가자 그는 울을 수밖에 없었다. (the hall, entering, his friends, full of)
→ ______________________, he couldn't help but cry.

기타 분사구문

Answers / p.14

A 주어진 말을 어법에 맞게 바꿔 문장을 완성하시오.

01 When ____________, you should tell them you haven't seen me. (ask)

02 I couldn't focus on singing with the beautiful girl ____________ at me. (stare)

03 ____________ my car keys, I couldn't drive home. (lose)

04 As ____________, I have attached my resume and portfolio. (request)

05 ____________ tall enough to dunk, Jason was asked to play for the school basketball team. (be)

B 두 문장의 의미가 같도록 빈칸을 채워 문장을 완성하시오.

01 As I had known her for many years, I felt comfortable around her.
→ ________ ________ her for many years, I felt comfortable around her.

02 Because he was too shy to meet her, the boy didn't come out of his room to say hi.
→ ________ ________ ________ ________ ________, the boy didn't come out of his room to say hi.

03 The angry customer complained about the service, and her arms were folded.
→ The angry customer complained about the service ________ ________ ________ ________.

04 When you deal with disruptive students, you need to be very strict.
→ ________ ________ ________ disruptive students, you need to be very strict.

C 우리말과 같은 뜻이 되도록 주어진 말과 분사구문을 써서 문장을 완성하시오.

01 내가 그 버스에 탔을 때 운전기사가 전화기로 이야기하는 것을 발견했다. (when, get on)
→ ________________________, I found the driver talking on the phone.

02 그 록밴드의 기타리스트는 그의 혀를 내민 상태로 기타를 연주했다. (with, tongue, stick out)
→ The guitarist of the rock band played the guitar ________________________.

03 그 책을 10번 넘게 읽어서 그녀는 그 이야기의 모든 세부사항을 알고 있다. (read, more than, times)
→ ________________________, she knows every single detail of the story.

04 그녀는 너무 착해서 거절을 못하기에 다른 사람들을 위해 일하느라 바쁘다. (too, kind, say, no)
→ ________________________, she is always busy doing things for others.

MEMO

MEMO

MEMO

수준별 맞춤

Vocabulary 시리즈

초등필수
영단어
1, 2, 3

This Is
Vocabulary
초급, 중급, 고급,
어원편

The
VOCA+BULARY
완전 개정판 1~7

Grammar 시리즈

초등필수
영문법+쓰기
1, 2

OK Grammar
Level 1~4

Grammar
공감
Level 1~3

Grammar
101
Level 1~3

도전 만점
중등 내신
서술형 1~4

Grammar
Bridge
Level 1~3
개정판

그래머 캡처
1~2

The Grammar
with Workbook
starter
Level 1~3

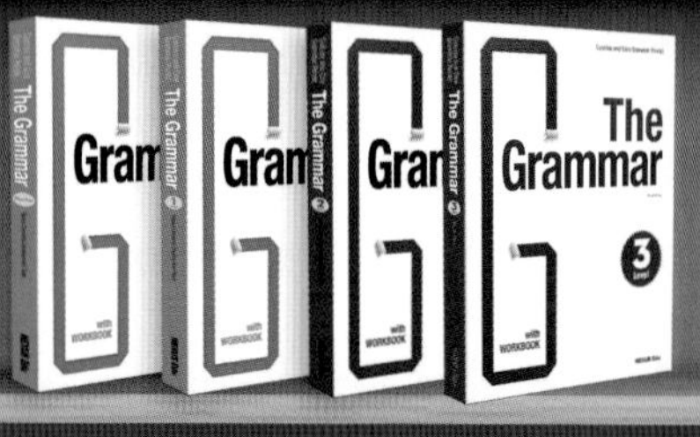

This Is
Grammar
초급 1·2
중급 1·2
고급 1·2

넥서스 영어 교재 시리즈

Reading 시리즈

Reading 공감
Level 1~3

After School Reading
Level 1~3

THIS IS READING
1~4
전면 개정판

Smart Reading Basic
Level 1~2
Smart Reading
Level 1~2

구사일생
(구문독해 BASIC)
BOOK 1~2

구문독해 204
BOOK 1~2

Listening 시리즈

Listening 공감
Level 1~3

After School Listening
Level 1~3

The Listening
Level 1~4

도전! 만점 중학 영어듣기 모의고사
Level 1~3

공든탑 Listening
유형편, 적용편
실전모의고사 1·2

만점 적중 수능 듣기 모의고사
20회 / 35회

단기완성 영문법 특강

한눈에 정리되는 이미지 영문법

+

GRAMMAR CAPTURE

그래머 캡처 1

넥서스영어교육연구소 지음

부정사 · 동명사 · 분사편

정답 및 해설

NEXUS Edu

한눈에 정리되는 이미지 영문법

GRAMMAR CAPTURE

그래머 캡처 1

부정사·동명사·분사편

정답 및 해설

NEXUS Edu

PART 1
부정사

Lesson 01 Exercises
p. 010

A 01 to attend 02 to study 03 to see
04 to visit 05 to read

B 01 ① 02 ③ 03 ② 04 ③ 05 ②

C 01 Bill left early to catch the bus.
02 I hope to finish this course quickly.
03 The celebrity agreed to have a picture taken with us.
04 The secretary called to remind me about the meeting.
05 My grandfather likes to fish in the river.

A 01 Mary는 다음 달에 있는 회의에 참석하기로 결정했다.
02 Joseph은 미술을 공부하러 이탈리아에 갔다.
03 나는 거기서 Frank를 봐서 매우 놀랐다.
04 나의 꿈은 모든 유럽 국가들을 방문하는 것이다.
05 이 책들은 내가 읽기에는 매우 쉽다.

B 01 recommendation → recommend
나는 우리가 그곳에서 함께 사업을 할 회사를 추천하고 싶습니다.
02 of → for
어떤 도구로도 탐지할 수 없을 만큼 너무 멀리 떨어져 있는 별들이 매우 많다.
03 telling → to tell
그녀는 사고에 대해서 경찰에 말하라고 내게 조언했다.
04 put → to put
그 가게는 손님들이 구매한 상품을 넣을 바구니를 제공한다.
05 go → to go
나는 이번 여름에 여행을 갈 여력이 없다.

Lesson 02 Exercises
p. 013

A 01 to stay 02 It
03 to call 04 to finish

B 01 how to play 02 It, to read
03 he should do 04 to pass

C 01 It is difficult to please our parents. / To please our parents is difficult.
02 I didn't know where to find him.
03 Mike tends to get home late.
04 My friends promised to come to my birthday party.
05 His job is to look after sick children.

A 01 그 학생은 방과 후에 남아 있는 것을 거부했다.
02 이 무거운 상자들을 나르는 것은 불가능하다.
03 그에게 언제 전화해야 하는지 말해 주겠니?
04 나의 계획은 내일까지 이 보고서 작성을 끝내는 것이다.

B 01 내게 기타 치는 법을 가르쳐 주세요.
02 만화책을 읽는 것은 재미있다.
03 그는 다음에 무엇을 해야 할지 모른다.
04 James는 그 시험을 통과하길 바란다.

Lesson 03 Exercises
p. 016

A 01 ② 02 ④ 03 ② 04 ④ 05 ④

B 01 time → time with 02 for eat → to eat
03 rescuing → to rescue 04 with → on

C 01 She needed a broom to sweep the floor with.
02 Your intention to surprise me is quite obvious.
03 Can you bring me something to drink?
04 He doesn't have anyone to borrow money from.
05 Jeremy expressed his strong desire to form a band.

A 01 abandoning → to abandon
배를 버리고 탈출하자는 나의 결정은 선원 모두의 지지를 받았다.
02 taken → to take
나는 처리해야 할 문제가 있어서 지금 퇴근할 수 없다.
03 be → to be
Jacobs 씨는 이 도시의 시장으로 선출된 첫 여성이 되었다.

04 of resolving → to resolve
오직 몇몇의 과학자만이 이 난제를 해결할 능력이 있다.

05 with → 삭제
고양이들은 먹을 음식 없이 며칠을 지낼 수 있다.

B 01 Meg은 같이 시간을 보낼 친구를 찾고 있다.
02 냉장고 안에 먹을 수 있는 것이 있으면 좋겠다.
03 그 사람들을 구하려는 우리의 시도는 계획대로 진행되지 않았다.
04 그 학생들을 쓸 수 있는 종이 한 장이 필요했다.

Lesson 04 Exercises

p. 022

A 01 of　　02 to disturb
03 to have　　04 intelligent enough

B 01 to lose　　02 to share
03 too smart to fall　　04 warm enough, to swim

C 01 I was very pleased to see him again.
02 This suitcase is too heavy for us to carry.
03 The doctors were willing to help the poor lady.
04 She was very clever to call the police.
05 The boy did his best so as to break the record.

A 01 그 표들을 잃어버리다니 내가 어리석었다.
02 우리는 이웃을 방해하지 않기 위해서 음악의 볼륨을 낮췄다.
03 우리가 저녁을 먹기에는 너무 이르다.
04 그들은 시험을 통과할 만큼 똑똑하지 않다.

B 01 Chris는 살을 빼기 위해서 매일 운동한다.
02 그 음식을 나눠먹다니 그는 마음이 넓었다.
03 그 속임수에 넘어가기엔 내가 너무 똑똑하다.
04 그 물은 우리가 수영하기에 충분히 따뜻해.

Lesson 05 Exercises

p. 026

A 01 to travel　　02 be painted
03 to develop　　04 (to) move

B 01 ③　02 ③　03 ④　04 ③　05 ④

C 01 Mark expects his brother to win the match.
02 Lisa told me not to trust anyone.
03 I wasn't allowed to hang out with my friends.
04 All (of) the employees were made to attend the seminar.
05 My parents will forbid me to leave the house tonight.

A 01 차를 소유하는 것은 당신이 좀 더 쉽게 돌아다니는 것을 가능하게 한다.
02 우리 엄마는 이번 주 금요일까지 울타리가 칠해지기를 원하신다.
03 아이들은 개인의 관심사를 발전시키도록 격려되어야 한다.
04 그 의사는 그 환자를 옮기는 것을 돕도록 간호사들에게 요청했다.

B 01 to do → to be done
우리 선생님은 다음 주 월요일까지 과제물이 끝나길 바란다.

02 raise → to raise
그 경찰관들은 강도들에게 손을 올리라고 명령했고 인질을 구했다.

03 lost → to lose
비록 그 선수의 오른쪽 다리의 부상이 경미했지만 그것이 그가 경기에서 패배한 원인이 되었다.

04 crossed → to cross
어떤 물체가 한밤중에 도로를 건너는 것이 목격되었다.

05 lending → to lend
정직한 것은 당신이 누군가에게 돈을 빌려달라고 설득하려 할 때 도움이 된다.

Lesson 06 Exercises

p. 028

A 01 read　02 watch　03 go
04 drive　05 to wash

B 01 thinking → think　　02 to drink → drink(ing)
03 wearing → wear　　04 talk → to talk
05 to wait → wait

C 01 All you did was (to) play with my dog.
02 She had no choice but to answer the phone.
03 We cannot help but agree with him.
04 I cannot let the children touch the flower.
05 Mr. McMaster did not notice me get out.

A 01 그녀는 내가 그 편지를 못 읽게 하려 했다.
02 그 군중은 그녀가 우는 것을 보는 것 말고 아무것도 하지 않았다.
03 그들은 모두 그 폭탄이 터지는 것을 들었다.
04 나는 Mary가 그녀의 차를 타고 떠나는 것을 보았다.
05 당신은 내가 세차하는 것을 도울 수 있나요?

B 01 구운 칠면조는 항상 우리가 추수감사절이 생각나게 한다.
02 운이 좋을 때는 사슴이 연못에서 물을 먹는 것을 볼 수 있어요.
03 운전할 때는 항상 안전벨트를 착용해야 합니다.
04 그 아이는 부모님에게 말대꾸할 만큼 어리석지 않았다.
05 그 경비원은 우리를 건물 밖에서 기다리도록 했다.

Lesson 07 Exercises

p. 032

A 01 to be 02 are believed to
03 are to 04 not to

B 01 ④ 02 ③ 03 ② 04 ③ 05 ③

C 01 You are to take off your hat in here.
02 My professor seems to have lived in France.
03 He told me not to make fun of them.
04 The machine needs to be repaired now.
05 They were never to see each other again.

A 01 Kevin은 화가 난 것 같다.
02 그 범죄자들은 연락을 취했던 것으로 여겨진다.
03 네가 그 비행기를 타려면 지금 떠나야 한다.
04 너는 해고당하지 않기 위해서 항상 네 일에 집중해야 해.

B 01 not → not to
내가 들어가지 말라고 명령했지만 그는 홀 안으로 들어갔다.
02 happening → to happen
저 이상한 소리 들리니? 내가 불을 켤 때마다 발생하는 것 같아.
03 enclose → be enclosed
이 사진은 네가 그 우편물을 보낼 때 동봉되어야 했어.
04 go off → have gone off
경보는 어제 오후 1시에 작동했던 것 같다.
05 to not → not to
그는 기차를 놓치지 않기 위해서 역으로 서둘러 갔다.

Lesson 08 Exercises

p. 035

A 01 telling 02 to hurt 03 to tell
04 to keep 05 disturbing

B 01 to close 02 to get 03 saying
04 loving 05 putting

C 01 I don't remember reading this magazine.
02 Never forget to take your passport.
03 She doesn't regret selling her house.
04 You need to stop bothering the puppies.
05 The police officer didn't mean to scare my grandmother.

A 01 나의 형은 어젯밤 나에게 자신의 비밀을 말한 것을 기억하지 못하는 것 같다.
02 나는 당신의 감정을 상하게 할 의도는 없었어. 네게 너무 미안해.
03 당신의 이름이 명단에 없다는 것을 알려드려 유감입니다. 다음에 신청하시기를 권유 드립니다.
04 새로운 선생님은 자신의 반을 통제하려고 열심히 노력하지만 항상 실패한다.
05 그 아이들은 엄마를 그만 괴롭혀야 한다. 그녀는 많은 스트레스를 받고 있다.

B 01 나갈 때 문 닫는 것 잊지 마세요.
02 Ken은 비록 직장에 지각했지만 커피 한 잔을 사기 위해서 들렀다.
03 우리는 Kate를 용서해야 한다. 그녀는 우리에게 나쁘게 말한 것을 정말 후회하고 있어.
04 결혼은 배우자를 온 마음을 다해 사랑하는 것을 의미한다.
05 만약 너의 식물이 죽어가는 것 같으면 더 자주 햇볕에 두기를 시도해야 한다.

Review Test

p. 036

01 to inform 02 to have visited
03 where to buy 04 not to be named
05 to eat 06 to sing 07 of 08 to pass
09 to be 10 to put 11 ④→ (to) move
12 ②→ to boil 13 ④→ singing
14 ③→ to have been given
15 ④→ to be staged
16 ① 17 ② 18 ② 19 ③ 20 ④
21 (A) would find it (B) to know
22 (A) too (B) to make 23 ①
24 Then stop to talk and listen. → Then stop talking and listen.

01 in order to: ~하기 위해서
Ashley는 회의가 취소되었다는 것을 알려주려고 나에게 이메일을 보냈다.

02 희망동사 과거형+완료부정사: 과거에 이루지 못한 소망
나는 파리에 갔을 때 루브르 박물관에 가고 싶었지만, 대신 오르세 미술관에 가게 되었다.

03 의문사+to부정사
나는 양고기 스튜에 쓸 고기를 어디서 사야 할지 모르겠다.

04 not+to부정사
그는 그 돈을 기부한 사람으로 언급되지 않기를 요청했다.

05 주어와 to부정사의 관계가 능동이다.
우리는 주말마다 우리끼리 저녁 먹는 것을 싫어한다.

06 주어와 to부정사의 관계가 능동이다.
Peter는 Price 씨에게 수년 동안 노래하는 것을 배웠다.

07 성품형용사+of+목적격+to부정사
문을 잠그지 않다니 부주의했구나.

08 fail은 to부정사를 취한다.
거의 모든 사람들은 처음에 운전 시험을 통과하는 것에 실패한다.

09 promise+to부정사
지금 가는 게 낫겠어. 늦지 않기로 약속했거든.

10 try+to부정사: ~하려고 노력하다
우리는 불을 끄려고 했지만 성공하지 못했다. 우리는 소방서에 전화해야 했다.

11 help+(to) 동사원형
여기로 와 줄래? 냉장고를 옮기는 데 네가 도와주어야 해.

12 보어와 to부정사의 관계가 능동이다.
시 당국은 비상시에는 모든 식수를 끓이라고 당부했다.

13 stop+동명사: ~하는 것을 멈추다
나의 룸메이트가 내 목소리가 끔찍하다고 말한다, 그래서 나는 샤워하면서 노래하는 것을 멈췄다.

14 주어와 to부정사의 관계가 수동이다.
나는 회사가 나를 다른 나라로 유학 보내 준 것에 대해 기쁘다. 다른 문화를 배울 기회를 얻게 된 것에 매우 기쁘다.

15 주어와 to부정사의 관계가 수동이다.
John Stobbard는 마침내 올해 그의 최초의 신작 희곡을 탈고했다. 그 첫 공연이 뉴 빅토리아 극장에서 상연될 것이다.

16 to부정사의 시제가 본동사의 시제보다 앞선 과거이므로 to have p.p.를 쓴다.
그 죄수들은 어젯밤 깨진 창문을 통하여 탈출한 것으로 여겨진다.

17 명사 effort가 to부정사의 수식을 받는다.
노동비용을 절감하려는 노력으로 그 새 기계가 도입되었다.

18 동사+목적어+to부정사
어떤 온라인 서비스 업체들은 그들의 대화방을 감시하고 아이들에게 무례한 대화자를 보고하도록 격려한다.

19 too+형용사+to부정사: 너무 ~해서 …할 수 없다
아메바는 너무 작아서 현미경 없이 관찰될 수 없다.

20 cannot help but 동사원형: ~할 수 밖에 없다
그는 조만간 상황이 통제되지 않을 거라는 생각을 하지 않을 수 없었다.

21 (A) to부정사는 5형식의 목적어로 쓰일 때 가목적어 it이 필요하다.
(B) need+to부정사: ~해야 한다
여러분이 정말로 집을 지으려면, 건축하는 데 있어 당신을 안내해 줄 일련의 설명서가 매우 도움이 된다는 것을 알게 될 것이다. 예를 들어 여러분은 벽과 기둥을 어디에 세워야 할지 알아야 할 것이다.

22 (A) too+형용사+to부정사: 너무 ~해서 …할 수 없다
(B) tend+to부정사: ~하는 경향이 있다
전국적인 한 여론조사에서 조사 대상 미국인들의 62퍼센트가 너무 바빠서 식사할 때 앉지도 못한다고 말했다. 많은 사람들이 책상에서 일하면서 점심을 먹거나 운전하면서 식사를 한다고 전했다. 그러나 이러한 습관은 건강에 좋지 않다. 우리를 살찌우게 하는 경향이 있다.

23 (A) to부정사로 명사를 수식한다.
(B) forget+to부정사: ~할 것을 잊다
지도에 관하여 아는 제일 나은 방법 중 하나는 자신의 지도를 직접 만드는 것이다. 먼저 지도를 그리고 싶은 지역을 선택할 필요가 있다. 공원을 나타내는 소풍 테이블, 학교를 나타내는 깃발 등의 상징들을 반드시 포함하라. 범례에 다른 중요한 정보를 포함하는 것을 잊지 마라.

24 stop+동명사: ~하는 것을 멈추다
좋은 대화란 생각과 감정을 함께 나눈다는 것을 의미한다. 이것은 모든 사람들이 차례로 무언가를 말해야 한다는 것을 뜻한다. 여러분이 시간의 절반 이상을 말한다면 그것은 너무 많이 말하는 것일 수 있다. 다른 사람에게 질문을 해라. 그리고 말을 멈추고 (남의 말을) 들어라.

수능따라잡기

p. 039

01 ③ 02 ⑤

01 becoming → become
우리가 정해진 절차를 만들어 두면, 매일 모든 일에 우선순위를 정하는 데 소중한 에너지를 쏟을 필요가 없다. 우리는 정해진 절차를 만들어 내기 위해 단지 적은 양의 초기 에너지만 쓰면 되고, 그러고 나서 해야 할 남은 일이라고는 그것을 따르는 것이다. 그 메커니즘을 설명하는 방대한 양의 과학적 연구가 있는데, 그 메커니즘에 의해서 정해진 절차가 어려운 일들이 쉬워지는 것을 가능하게 한다. 간단히 설명하자면 우리가 반복적으로 어떤 과제를 수행할 때 신경세포인 뉴런이 '시냅스'라고 부르는 전달 관문을 통해 새로운 연결을 만들어 낸다. 반복을 통해, 그 연결이 강력해지고 뇌가 그 연결을 활성화시키는 것이 좀 더 쉬워진다. 예를 들어, 당신이 새로운 단어 하나를 배울 때 그 단어가 숙달되기 위해서는 여러 번 반복하는 것이 필요하다. 나중에 그 단어를 기억해내기 위해서 당신은 그 단어에 대해 의식적으로 생각하지 않고도 결국 그 단어를 알게 될 때까지 똑같은 시냅스를 활성화시킬 필요가 있을 것이다.

02 (A) to부정사로 명사를 수식한다.
(B) let+목적어+동사원형
(C) 주어와 to부정사의 관계가 능동이다
여러분의 부모는 여러분이 용돈을 현명하게 쓰지 않을 것을 걱정할 수도 있다. 여러분이 돈을 쓰는 데 몇 가지 어리석은 선택을 할 수도 있지만, 만일 여러분이 그렇게 한다면 그 결정은 여러분 자신의 결정이고 바라건대 여러분은 자신의 실수로부터 배울 것이다. 배움의 많은 부분이 시행착오를 거쳐서 일어난다. 돈은 여러분이 평생 동안 처리해 나가야 할 어떤 것임을 여러분의 부모가 깨닫게 하라. 삶에서 나중보다 이른 시기에 실수를 저지르는 것이 더 낫다. 여러분이 언젠가는 가정을 갖게 될 것이라는 것과, 자신의 돈을 관리하는 법을 알 필요가 있다는 것을 부모가 이해하게 하라. 모든 것을 학교에서 배울 수는 없다!

PART 2
동명사

Lesson 01 Exercises
p. 044

A 01 Possessing 02 locking 03 washing
04 my 05 cooking

B 01 do → doing 02 I call → my calling
03 work → working 04 Take → Taking
05 to swim → swimming

C 01 Joyce thanked us for inviting her.
02 Walking is a good exercise.
03 The actress avoided answering questions about sensitive issues.
04 Her job is taking care of my babies.
05 Seeing is believing.

A 01 불법 무기를 소지하는 것은 심각한 범죄이다.
02 Marie는 모든 문과 창문을 잠가야 할 의무가 있다.
03 Alice는 매일 밤 설거지하는 것이 지겨웠다.
04 Rick은 내가 James와 함께 머물기를 주장했다.
05 Ken의 가장 좋아하는 취미는 한식을 요리하는 것이다.

B 01 내가 그 일 하는 것을 끝냈을 때 휴식을 취했다.
02 약속하지 않고 이렇게 들르게 된 것을 양해해 주시길 바랍니다.
03 Mindy는 열심히 일하는 것으로 유명하다.
04 통근 시간에 전철을 타는 것은 운전하는 것보다 낫다.
05 Tom은 결국 매일 아침에 수영하는 것을 포기했다.

Lesson 02 Exercises
p. 047

A 01 running 02 teach
03 helping 04 going

B 01 ④ 02 ② 03 ① 04 ②

C 01 I am looking forward to seeing it.
02 He is not used to eating spicy food.
03 We considered going shopping after work.
04 You should not put off making a phone call to her.
05 Complaining about your situation will not solve the problem.

A 01 그 트럭운전사는 그 고양이를 치지 않으려 노력했지만 실패했다.
02 김 선생님은 그 대학에서 수학을 가르치곤 했지만 그는 지금은 퇴직했다.
03 그 목사는 마을에 있는 노숙자들을 돕는 데 자신의 일생을 바쳤다.
04 나는 공원으로 산책 가는 것을 제안하고 싶어요.

B 01 been seen → being seen
그 도둑은 분명히 Smith씨가 나가길 기다렸다가, 뒤쪽 창문으로 들어와서 들키지 않고 은식기들을 옮겼다.
02 to change → changing
그 여행은 너무 복잡하다. 여행 중 버스를 세 번 이상 갈아타야 한다. 그래서 나는 이번에는 기차를 타는 것을 제안한다.
03 discover → discovering
그 교수는 노벨상을 타고 싶어서 인류에게 유용한 것을 발견하는 데 헌신했다. 그러나 그는 대학으로부터 많은 지원을 받지 못했다.
04 were used → used
페니키아 같은 고대 문명들은 돈을 이용하는 대신 물건을 교환하곤 했다.

Lesson 03 Exercises
p. 050

A 01 having received 02 not having
03 renovating 04 your quitting

B 01 not having 02 watering
04 having lied 04 Paul's[Paul] moving

C 01 The suspect confessed to having broken into the house.
02 Your passport needs renewing by next week.
03 My daughter doesn't like being treated like a baby.
04 Mr. Peterson doesn't mind my leaving earlier.
05 Jake regrets not having done his homework.

A 01 그 학생은 자신의 프로젝트에 전문가의 관심을 받게 되어서 감사했다.
02 당신이 여기에 없다는 것을 상상할 수 없어요. 우리는 당신이 많이 그리울 거예요.
03 당신의 아파트는 개조가 필요한 것처럼 보이는 군요.
04 아무도 당신이 갑자기 일을 그만두는 것을 이해 못해요.

B 01 네가 그 일을 택하지 않은 것을 후회하니?
02 정원에 물을 주어야 한다.
03 그 학생은 선생님께 거짓말한 것을 인정한다.
04 그녀는 Paul이 시카고를 이사하는 것을 알지 못해요.

Lesson 04 Exercises

p. 053

A 01 logging 02 getting
03 eating 04 cheering

B 01 ④ 02 ④ 03 ② 04 ④ 05 ②

C 01 What do you feel like having for dinner?
02 It is no use trying to persuade me.
03 He is busy playing the computer game.
04 Mike was having a hard time understanding the lecture.
05 There is no winning without hard work.

A 01 나는 그 시스템에 접속하는 데 어려움을 겪어 왔다.
02 많은 사람들을 술에 취하는 데 돈을 많이 쓴다.
03 Tina는 초밥이 먹고 싶어서 그 일식 식당에 갔다.
04 그들을 응원해도 소용없어. 그들은 오직 1분만 남았어.

B 01 go → going
우리가 집에 도착했을 때 너무 늦어서 잠자리에 들 의미가 없었다.
02 to find → finding
그는 직장을 찾았다. 그것은 어렵지 않았다. 그는 직장을 찾는 데 어려움이 없었다.
03 wrote → writing
그녀는 그 책을 쓰는 데 일생은 반을 썼다. 다행히도 그 책은 그녀에게 천만 달러를 얻어주었다.
04 study → studying
피곤하면 공부하지 마라. 그런 식으로 공부할 이유가 없다.
05 passes → passing
James는 운전 시험을 통과하는 데 항상 어려움을 겪었다. 그는 더 연습할 필요가 있다.

Review Test

p. 054

01 being 02 writing 03 answering
04 designing 05 having informed
06 Tony's failing 07 separating 08 giving
09 Watching 10 taking
11 ③→ making up 12 ①→ using
13 ④→ to living 14 ④→ worth
15 ②→ communicating
16 ③ 17 ④ 18 ② 19 ③ 20 ②
21 ④ 22 requires 23 ④

01 전치사+동명사
너는 이틀 연속 수업에 지각한 것에 대해 변명할 것이 있니?

02 consider는 동명사를 취한다.
나는 죽기 전에 자서전을 쓰는 것을 고려 중이다. 누군가는 읽을 거라고 생각하니?

03 소유격+동명사
선생님은 우리가 시험 문제에 전부 옳게 답한 것을 기뻐하셨다.

04 finish는 동명사를 취한다.
당신은 그 새 고객을 위한 사무실 디자인을 끝마쳤습니까?

05 deny는 동명사를 취한다.
그 주식 중개인은 그 비밀 사업 거래에 대해 정보를 제공한 것을 부인했다.

06 뒤에 목적어를 취할 수 있는 것은 동명사이다.
Tony가 열심히 공부했음에도 불구하고 경제학 시험에 떨어진 것은 누구도 이해할 수 없다.

07 have trouble+동명사
가끔 매우 어린 아이들은 사실과 허구를 구분하는 데 어려움을 겪고 용이 진짜로 존재한다고 믿을 수도 있다.

08 mind는 동명사를 취한다.
그 건축 물품 상점의 주인은 고객들이 대량으로 구매할 때에는 기꺼이 할인해 준다.

09 Watching ~ activities가 동명사로서 주어로 쓰였다.
다른 모든 활동에 우선하여 TV만 보는 것은 자라나는 어린이에게 건강한 습관이 아니다.

10 avoid는 동명사를 취한다.
나는 교통 체증을 유발하는 큰 사고가 났다고 들었다. 만약 제시간에 연극에 도착하고 싶다면 고속도로 타는 것은 피하는 게 좋을 거야.

11 make up → making up
대부분의 학생들은 대학 전공을 결정하는 데 어려움을 겪는다.

12 using of → using
레이저 빔을 사용하여 외과 의사들은 신체 내부의 수술을 할 수 있다.

13 to live → to living
자신의 남편이 죽은 후 그 노부인은 혼자 사는 것에 익숙해져야 했다.

14 worth of → worth
모든 개인은 역사의 일부라는 것을 그가 확신하지 않았더라면 그의 이야기는 언급할 가치가 없었을 것이다.

15 communication → communicating
ASL(미국 수화)은 몸짓과 기호로 생각을 조용히 전달하는 체계이다.

16 suggest는 동명사를 취한다.
위원회는 그 계획의 조언자로서 외부 상담원을 고용할 것을 제안했다.

17 동명사의 주어는 소유격으로 나타낸다.
내가 그 파티에서 피아노를 연주하는 것에 엄마가 왜 반대하는지 이해할 수 없다.

18 소유격 뒤에 동명사가 오고 의미상 수동이 되어야 한다.
우리는 네가 해고당했다는 소식을 듣고 놀랐다.

19 worth+동명사
그 차관은 회의가 끝나기 전에 떠났다. 논의 중인 화제가 논의할 가치가 없다고 생각했기 때문이다.

20 동명사 앞에는 관사를 쓰지 못한다.
개들은 기분 좋은 표시로 꼬리를 흔든다.

21 (A) 전치사+동명사
(B) 부상(wounds)이 감염되므로 수동
전쟁 중 페니실린의 사용은 수천 명의 목숨을 구하는 일에 기여했다.

1차 세계대전 중 미국 군대의 모든 사망자 수의 18%는 폐렴이 원인이었다. 2차 세계대전 중 그 비율은 1% 미만으로 줄어들었다. 게다가, 페니실린은 상처가 감염되는 것을 막는 데 유효했다.

22 require → requires

사무실 건물의 관리인으로 근무하는 것은 아파트 한 채를 좋은 상태로 유지하는 일과 별반 다르지 않다. 관리인이나 아파트 거주인이나 모두 새는 수도꼭지를 고치고, 가구를 수리하고, 때로는 페인트칠도 해야 한다. 비록 일의 양과 장소가 다르긴 하지만 건물 한 동과 아파트 한 채를 깨끗하고 좋은 상태로 유지하는 것은 동일한 종류의 일을 필요로 한다.

23 (A) go + 동명사

(B) enjoy는 동명사를 목적어로 취한다.

(C) '얼어버린' 식품이므로 수동

엄마 대신에 쇼핑을 가 본 적이 있나요? 만약 그랬다면 엄마가 써 준 목록의 물품을 담으면서 카트를 마트 통로로 끌고 다닌 것이 재미있었을 겁니다. 그리고 야채 통조림, 냉동식품, 고기 그리고 신선한 과일을 들고 집으로 왔을 겁니다.

수능따라잡기

p. 057

01 ④ **02** ④

01 lead → leading

우리 아빠의 한 가지 멋진 점은 야영하기에 가장 좋은 장소를 정말 잘 고르신다는 것이었다. 지난여름에 우리는 Grasslands National Park에 갔었다. 아빠는 그곳에 캐나다 원주민들이 살곤 했었다고 말씀하셨다. 이와 같은 여행에서 아빠는 들려줄 멋진 이야기를 항상 갖고 계셨다. 그의 이야기는 항상 내가 곤경에서 벗어나기 위해 머리를 쓰도록 이끄는 데에 목표를 두었다. 예를 들어 한 이야기는 큰 코요테에게 쫓기고 있던 한 나무꾼에 관한 것이었다. 그들(코요테와 나무꾼)은 들판으로 달렸다. 나는 그 코요테가 그 나무꾼을 따라잡을 것으로 생각하고 있었다. 그러나 그 나무꾼은 들판에서 욕조 하나를 발견했다. 그는 욕조로 달려가 그것을 뒤집어썼다. 그 코요테는 흥미를 잃을 때까지 계속 짖어대다가 결국은 가 버렸다. 그런 다음 그 나무꾼은 욕조에서 나와 그 장소를 최대한 빨리 떠났다.

02 (A) 동명사는 주어로 쓰일 수 있다.

(B) 전치사 + 동명사

(C) interested in + 동명사

"나는 네가 참 자랑스러워."라는 칭찬에 있어 잘못된 점이 무엇일까? 많다. 자녀에게 거짓된 칭찬을 하는 것이 잘못된 판단이듯, 자녀의 모든 성취에 대해 보상하는 것 또한 실수이다. 보상이 꽤 긍정적으로 들리기는 하지만, 그것은 종종 부정적인 결과로 이끌어준다. 이는 그것이 배움의 즐거움을 감소시킬 수 있기 때문이다. 만약 당신이 자녀의 성취에 대해 지속적으로 보상을 해준다면, 당신의 자녀는 보상을 얻기 위해 하는 일 자체 보다는 보상을 얻는 것에 좀 더 집중하기 시작한다. 자녀의 즐거움의 초점이 배움 그 자체를 즐기는 것에서 당신을 기쁘게 하는 것으로 옮겨 간다. 만약 당신이 자녀가 글자를 알아볼 때마다 칭찬을 한다면, 자녀는 결국 당신이 박수치는 것을 듣기 위해서 알파벳 배우기에 관심을 갖기보다 알파벳 그 자체를 배우는 것에 흥미를 덜 갖게 되는 칭찬 애호가가 될 수도 있다.

PART 3
분사

Lesson 01 Exercises

p. 061

A 01 used 02 educated 03 carrying
04 standing 05 spoken

B 01 living 02 saying 03 built
04 traveling 05 published

C 01 The bike stolen last night was in my garage.
02 The baby sleeping in the crib is adorable.
03 Do you like the girls talking in the classroom?
04 I know a lady named Katie.
05 Most of my friends own cellphones made in Korea.

A 01 그 끔찍한 범죄에 쓰인 무기가 지금 발견되었다.
02 나는 1980년대에 물리학과에서 교육을 받았던 학생들의 동창회에 갔다.
03 콘크리트 관을 운반하던 트럭이 마을 한복판에서 전복되었다.
04 저기에 서 있는 저 남자를 만나본 적이 있니?
05 유럽에 있는 언어 중 몇 개를 대라.

B 01 옆집에 사는 사람들은 이탈리아에서 왔다.
02 '개 조심'이라고 쓰여 있는 표지판이 정문에 있다.
03 우리는 2010년에 지어진 건물을 샀다.
04 오늘 아침에 출근하는 사람을 위해 열차가 추가적으로 운행되었다.
05 지난주에 발간된 그 책은 그의 첫 번째 소설이다.

Lesson 02 Exercises

p. 064

A 01 ① 02 ① 03 ③ 04 ② 05 ②

B 01 following me around 02 waiting for you
03 sent to you 04 born in the 90s

C 01 The photos taken by my uncle are really popular.
02 I want to tear down the walls surrounding my house.
03 Do you know the gentleman introduced in the morning?
04 The boys dancing at the party were full of talent.

A 01 listed → listing
직원들의 임금을 열거한 차트가 게시판에 게재된 상태로 발견되었다.

02 sold → selling
중고 물품을 판매하는 시장은 벼룩시장으로 알려져 있는데 헌 물품은 벼룩으로 가득 차 있을 것으로 생각되어지기 때문이다.

03 stood → standing
우리가 그 극장을 지나 걷고 있을 때 매표소 밖에 많은 사람들이 긴 줄로 서있었다.

04 consisted → consisting
그 아이들은 도널드덕과 미키마우스가 나오는 만화로 구성된 특별한 영화 프로그램에 참가했다.

05 laying → laid
물고기 낳은 알들 중 적은 양만 실제로 부화하고 성어가 될 때까지 생존한다.

B 01 나를 따라다녔던 그 개는 인식표가 없었다.
02 문에서 너를 기다리고 있는 남자는 누구니?
03 나는 실수로 너에게 전송된 메시지를 읽었다.
04 이 팀은 90년에 태어난 선수들이 몇 명 있다.

Lesson 03 Exercises p. 068

A 01 wondering 02 heard 03 annoying
04 balanced 05 running

B 01 invite → invited
02 welcome → welcoming
03 manufacture → manufactured
04 suggest → suggested
05 exhaust → exhausting

C 01 There are many stimulating activities in this city.
02 The elephants from Thailand showed amusing tricks.
03 The police officer saw a man stealing my smartphone.
04 The contaminated water made the villagers sick.
05 The recently constructed building across my house looks amazing.

A 01 그 뉴스는 다음에 무슨 일이 일어날지 나를 궁금하게 만들었다.
02 그는 자신의 말이 들리게 할 수 없었다.
03 전철에서 사람들이 크게 떠드는 것을 보는 것은 짜증스럽다.
04 새로운 연구에 따르면 인종이 균형 잡힌 학교는 교육에 좋다.
05 그 도시의 남쪽 판자촌에 사는 가난한 사람들은 수돗물이 없다.

B 01 초대된 손님들을 제외하고는 아무도 그 강연을 듣지 않을는지 모른다.
02 그 호텔은 환영하는 분위기를 갖고 있었다.
03 그곳의 경제는 다양한 제작 상품의 수출에 의존하고 있다.
04 감기에 대해 제안되는 한 가지 치료법은 휴식을 취하는 것과 많은 물을 마시는 것이다.
05 12시간 동안의 피곤한 여행 후에 Jason은 저녁 식탁에서 잠이 들었다.

Lesson 04 Exercises p. 072

A 01 ① 02 ① 03 ① 04 ②

B 01 Arriving 02 Anxious 03 Maintained
04 Not knowing 05 Turning

C 01 (Being) Rescued immediately, they only suffered minor injuries.
02 Being a historical city, Rome is visited by a lot of tourists.
03 Not having many friends, she usually goes shopping alone.
04 It snowing tomorrow, we will call off the event.

A 01 Lie → Lying
수영장 옆에 누워 있는 동안, 나는 햇볕에 타는 것을 알았다.

02 Surround → Surrounded
그 집은 높은 벽으로 둘러싸여 있어서 외부에서 보이지 않는다.

03 Being → There being
어제 큰 축제가 있어서 사람들은 평상시보다 더 일찍 퇴근했다.

04 danced → dancing
그 정비사는 라디오에서 나오는 음악에 맞춰 춤을 추며 나의 차를 수리하고 있었다.

B 01 우리가 파티에 도착했을 때 Ruth가 혼자 서있는 것을 보았다.
02 나는 그를 기쁘게 하고 싶어서 그에게 멋진 선물 하나를 사주었다.
03 내 차는 정기점검을 받기 때문에 늘 상태가 좋다.
04 나는 길을 알지 못해서, 방향을 물어야만 했었다.
05 오른쪽을 돌면 약국을 발견하실 거예요.

Lesson 05 Exercises

p. 074

A 01 Written 02 Found
03 knowing 04 Being unemployed
05 Going

B 01 Painted 02 Seeing 03 Being
04 Stuck 05 Dressed

C 01 Seen from the moon, our planet looks like a ball.
02 Attacked by a drunken man, the police officer got angry.
03 Entering the classroom, the teacher yelled at Mike.
04 Left alone, the kid felt lonely.
05 Driving his car, my father talked on the phone.

A 01 이 책은 쉬운 영어로 쓰여서 초보자에게 알맞다.
02 그 식물은 안데스 산맥에서만 발견되는데 피부병을 치료하는 데 사용된다.
03 Chloe는 비밀번호를 몰라서 로그인 할 수 없었다.
04 Keith는 실직해서 취직 서류를 쓰는 데 많은 시간을 소비했다.
05 그들은 매일 밤 너무 늦게 자서 아침에 늘 피곤하다.

B 01 그 성은 하얗게 칠해져서 아름다워 보인다.
02 그녀는 그 개가 자신을 향해 뛰어 오는 것을 봐서 그녀는 빨리 그 길을 건넜다.
03 여전히 배가 고파서 그 아이는 피자를 한 조각 더 주문했다.
04 교통체증에 갇혀 있었기 때문에 그들은 제시간에 공항에 도착하지 못했다.
05 모두 검은 색으로 옷을 입어서 그 만화캐릭터는 밤에 쉽게 보이지 않는다.

Lesson 06 Exercises

p. 077

A 01 ④ 02 ② 03 ② 04 ② 05 ②

B 01 closing → closed
02 Lost → Having lost
03 I walking → (I was) walking
04 watched → watching
05 so 삭제

C 01 My boss was sitting on the sofa with his legs crossed.
02 Having done his homework, he played the computer game.
03 When questioned, she started crying[to cry].
04 James was jogging with his dog following him.
05 Although studying overseas, they don't miss their parents.

A 01 그 여자아이들 중 한 명은 자신의 머리가 바람에 휘날리는 상태로 그곳에 그냥 서있었다.
02 나는 삼촌댁에 운전을 하고 가는 중에 길을 잘못 들어섰고 결국 내가 시작한 지점으로 돌아오게 되었다.
03 중앙아메리카의 고대 마야인들은 별을 연구한 후에 매우 정확한 양력 달력을 만들어냈다.
04 우주 비행사는 우주 임무를 띠고 날아가기 전, 수천의 훈련 시간을 보낸다.
05 우리는 런던으로 이사 온 후, 극장에 갈 시간이 없었다.

B 01 그는 눈을 감은 채로 잠깐 조용히 앉아 있었다.
02 그는 지갑을 잃어버려서 나에게 선물을 사줄 수가 없었다.
03 내가 나의 개를 산책시키는 동안 나는 아름다운 석양을 즐겼다.
04 그가 나를 저렇게 쳐다보는 상태로 내가 어떻게 마음이 편할 수 있겠어요?
05 너무 기분이 언짢아 먹을 수 없어서 Melanie는 저녁 식탁에 그냥 앉아있었다.

Review Test

p. 078

01 boring 02 astonishing 03 when
04 Being 05 embarrassing 06 using
07 marking 08 tired 09 located
10 concerned 11 ④ → leading 12 ② → told
13 ① → As he was seriously burned
14 ① → As she had studied
15 ④ → affected area
16 ④ 17 ③ 18 ④ 19 ② 20 ②
21 Standing 22 called 23 asking for 24 ②

01 주어와 동사가 능동 관계이므로 현재분사를 쓴다.
그 강의는 지루했다. 나는 잠이 들었다.

02 동사와 수식 받는 명사가 능동 관계이므로 현재분사를 쓴다.
그녀는 정말 빨리 배웠다. 그녀는 놀라운 발전을 했다.

03 접속사 뒤에 분사가 있어 주어가 필요 없다.
모든 기체와 대부분의 액체와 고체는 열을 받으면 대개 팽창한다.

04 주어가 없으므로 분사구문이다.
그 시험을 볼 준비가 안 되어 있어서 나는 내가 낮은 점수를 받을 것이라는 것을 확실히 느꼈다.

05 주어(절)와 동사의 관계가 능동이므로 현재분사를 쓴다.
사람들에게 돈을 달라고 요청할 때 가끔 창피하다.

06 주어와 동사가 능동 관계이므로 현재분사를 쓴다.
우리는 사전을 이용할 때 사전 속에 들어 있는 상징들과 생략 부호들을 이해해야 한다.

07 동사와 수식 받는 명사가 능동 관계이므로 현재분사를 쓴다.
Olga와 Ivan은 주의를 기울이지 않았다, 그래서 그들은 고속도로의 출구를 알려주는 표지판을 보지 못했다.

08 주어와 동사의 관계가 수동이므로 과거분사를 쓴다.
나는 그렇게 튼튼하지는 않다. 1시간 동안 등산을 한 후 매우 피곤했다.

09 동사와 수식 받는 명사가 수동 관계이므로 과거분사를 쓴다.
세상에서 내가 가장 좋아하는 장소는 브라질의 남쪽 연안에 있는 한 작은 도시이다.

10 주어와 동사가 수동 관계이므로 과거분사를 쓴다.
어떤 영화제작자들은 영화가 어떻게 만들어지는가 보다 무엇이 상영되고 있는가에 더 관심이 있다.

11 led → leading
Ms. Magazine은 1972년에 창간했는데 여권 운동의 선도적인 출판물 중의 하나로 오랫동안 간주되어 왔다.

12 telling → told
우리나라 사람들 사이에서 17세기에 살았던 한 남자에 대해 전해지는(말하여지는) 오래된 전설 하나가 있다.

13 Seriously burned → As he was seriously burned
John이 끔찍한 교통사고로 심하게 화상을 입었으므로 의사는 John이 (2차) 감염으로부터 보호될 수 있는지 확신할 수가 없었다.

14 Having studied → As she had studied
Sarah는 몇 년 동안 그리스어를 공부해서 그녀의 발음이 이해하기 쉬웠다.

15 affect areas → affected areas
5억 달러 이상의 보조금이 그 지역으로 쏟아 부어졌지만 그 상당수가 그 영향 받은 지역에 도달하기에는 시간이 걸렸다.

16 주어와 동사가 능동 관계인 분사구문이다.
나는 취업 제의를 받아들이기에 앞서 전 가족과 충분히 상의할 것이다.

17 주어와 동사가 수동 관계이고 접속사가 있는 분사구문이다.
안경은 잘 맞춰지면 대부분의 시력 결함은 교정할 수 있다.

18 주어와 동사가 수동 관계인 분사구문이다.
도시의 삶은 시골의 삶과 비교하여 훨씬 더 복잡하고, 심장 질환과 같은 스트레스 관련 건강 문제를 더 잘 일으킨다.

19 주어와 동사가 수동 관계인 분사구문이다.
Albert Einstein이 한 때 비가 내렸을 때, 모자를 벗고 그것을 코트 아래에 넣었다. 왜냐고 질문을 받았을 때, 그는 비가 자기 머리가 아니라 모자를 망가뜨릴 것이라고 천천히 설명했다.

20 동사와 수식 받는 명사가 수동 관계이므로 과거분사를 쓴다.
지난 토요일 나는 한 친구에 의해 준비된 파티에 참가했다. 내 친구는 집이 다른 마을에 있었는데 내가 갈 수 있어서 매우 즐거워했다.

21 주어와 동사는 능동 관계이므로 현재분사를 쓴다.
그 장군은 적의 병력이 철군 항해하는 것을 허용하지 않고 그들을 바닷속 깊은 곳으로 보내기로 결정했다. 그는 장군선 높은 곳에 서서 그의 전 함대를 수백 척의 전함과의 싸움에 투입시켰다.

22 동사와 수식 받는 명사가 수동 관계이므로 과거분사를 쓴다.
'시카고 대화재'라고 자주 불리는 그 사건은 O'Leary 부인이라는 한 여자 소유의 헛간에서 시작했다. 몇 분 안에 그 도시 전체의 건물들이 화염에 휩싸였다.

23 동사와 수식 받는 명사가 능동 관계이므로 현재분사를 쓴다.
노숙이라는 주제가 떠오르면 전형적으로 대부분의 사람들은 거리 구석에서 잔돈을 구걸하는 독신 남자의 이미지를 떠올린다.

24 (A) filmmakers와 동사가 능동 관계이므로 현재분사를 쓴다.
(B) 동사와 수식 받는 명사가 수동 관계이므로 과거분사를 쓴다.
서양인들에게 아시아는 호기심의 대상이어서 영화제작자들이 자주 영감을 얻으러 동양으로 발길을 돌린다. 디즈니도 예외는 아니다. 아시아 전설에 근거한 만화 영화인 '불의 반지의 전설'은 디즈니 채널을 통해 현재 방영되고 있다.

수능따라잡기

p. 081

01 ② **02** ①

01 describing → described
영어 사용자들은 가족 관계를 묘사할 때 가장 단순한 체계들 중 하나를 가지고 있다. 그러나 많은 아프리카 언어 사용자들은 남성과 여성 친척 양쪽 모두를 묘사하는 데 "cousin"과 같은 한 단어를 사용하는 것, 또는 묘사되는 사람이 말하는 사람의 아버지와 혈연관계인지 아니면 어머니와 혈연관계인지 구별하지 않는 것을 불합리하다고 여길 것이다. brother-in-law를 아내의 남자형제인지 여자형제의 남편인지 구별할 수 없다는 것은 많은 문화에 존재하는 인간관계의 구조 내에서 혼란스럽게 보일 것이다. 마찬가지로, "uncle"이라는 한 단어가 아버지의 형제와 어머니의 형제에게 적용 되는 상황을 이해하는 것이 어떻게 가능하겠는가? 징포어로 사고하는 미얀마 북부의 사람들은 그들의 친족을 묘사하기 위한 18개의 기본 용어를 가진다. 이 용어 중 어떤 것도 영어로 바로 번역될 수 없다.

02 (A) 명령문이므로 동사원형을 쓴다.
(B) 주어와 수동 관계이므로 과거분사를 쓴다.
(C) 주어와 동사가 능동 관계이므로 현재분사를 쓴다.
당신은 당신의 강점과 약점에 대하여 스스로에게 정직한가? 스스로에 대해 확실히 알고 당신의 약점이 무엇인지를 파악하라. 당신의 문제에 있어 스스로의 역할을 받아들이는 것은 해결책도 당신 안에 있다는 것을 이해함을 의미한다. 만약 당신이 특정 분야에 약점이 있다면, 배워서 상황을 개선하기 위해 스스로 해야만 할 것들을 행하라. 만약 당신의 사회적 이미지가 형편없다면, 스스로를 들여다보고 그것을 개선하기 위해 필요한 조치를 취하라, 오늘 당장. 당신은 삶에 대응하는 방법을 선택할 능력이 있다. 오늘 당장 모든 변명을 끝내기로 결심하고, 일어나는 일에 대해 스스로에게 거짓말하는 것을 멈춰라. 성장의 시작은 당신이 자신의 선택에 대한 책임을 스스로 받아들이기 당신은 성장하기 시작한다.

WORKBOOK

PART 1 부정사 p. 084~091

Lesson 01

A
01 to seek 02 to settle
03 to go 04 to finish
05 to hear 06 to follow

B
01 failed to win 02 decided to take
03 refuses to have 04 want to shake

C
01 got up early to call
02 is to watch comedy movies
03 for them to climb
04 has something important to tell

Lesson 02

A
01 to solve 02 to major
03 to cancel 04 to get
05 to buy

B
01 where to put 02 how to speak
03 when to paint 04 what to cook

C
01 It can be very dangerous to send
02 whether to throw a party
03 It is almost impossible to satisfy
04 which subjects to choose

Lesson 03

A
01 wants something to drink
02 someone to feed
03 some milk to put in

B
01 enough money to rent
02 a broom to sweep the floor with
03 any friends to borrow money from
04 a plastic bag to put these in

C
01 many steps to go through
02 there's nothing to worry about
03 he didn't have anyone to rely on
04 I have lots of heavy boxes to move.

Lesson 04

A
01 to demand 02 to get
03 to donate 04 to be
05 to hear

B
01 to make Jay feel worse
02 shocked to hear
03 so as not to forget
04 tolerant to forgive

C
01 of you to help me with my homework
02 to go to Italy in order to be a world-famous fashion model
03 too old to drive a car
04 were very disappointed to know

Lesson 05

A
01 heard to cry 02 allowed to play
03 made to wear 04 seen to play

B
01 write 02 to repeat
03 to submit 04 to enter
05 them to wash

C
01 told me not to touch
02 didn't let the suspect use
03 expects his flight to land
04 helped her sister complete

Lesson 06

A
01 (to) study 02 get up
03 to make fun of 04 (to) show up
05 leave

B
01 touch/touching 02 be
03 to hire 04 (to) watch
05 come/coming 06 keep

C
01 had no alternative but to resign
02 did nothing but surf the Internet

03 had their gardener plant maple trees

04 cannot help but regret his decision

Lesson 07

A 01 to have seen   02 to survive
03 to be included   04 to leave
05 to wake up

B 01 used to be   02 not to
03 to have gotten lost   04 to be respected
05 has been   06 have seen

C 01 are to make
02 in order not to run over
03 were never to meet
04 is believed to have renewed
05 need to be cleaned

Lesson 08

A 01 visiting   02 pressing
03 telling   04 to come

B 01 remember to call me
02 regret to tell you
03 didn't mean to hurt
04 stopped to look at

C 01 Going on a diet means saying good-bye
02 It is hard to stop eating
03 try not to watch Korean TV shows
04 We will never forget meeting the First Lady

PART 2 동명사

p. 092~095

Lesson 01

A 01 Walking   02 replying
03 opening   04 Eating

B 01 suggested going for a walk
02 watching the movie
03 instead of making a sandcastle
04 gave up developing

C 01 writing poems
02 playing mobile games
03 Working overtime all week long
04 learning German and Italian

Lesson 02

A 01 ⓐ   02 ⓓ   03 ⓒ   04 ⓑ   05 ⓒ   06 ⓓ

B 01 working   02 buying
03 getting   04 spreading
05 smoking   06 ordering

C 01 spending   02 staying
03 conducting   04 eating
05 looking after

Lesson 03

A 01 her chatting during the group work in class
02 some parents[some parents'] letting their children run around in restaurants
03 my daughter[my daughter's] winning first prize in the dance contest
04 you[your] having looked after my kids for three days

B 01 I'm sorry for not having paid
02 She didn't recall having met me
03 complain about not being understood

C 01 mind me[my] asking
02 regrets spending too much money
03 were afraid of being punished

Lesson 04

A 01 mentioning   02 concentrating
03 decorating   04 grading

B 01 no use making excuses
02 had trouble understanding
03 spend the weekend reading
04 feel like go fishing

C 01 is no use regretting
02 There is no returning
03 were busy planning
04 feel like having

PART 3 분사

p. 096~101

Lesson 01

A 01 동명사　02 동명사
03 현재분사　04 현재분사
05 현재분사　06 동명사

B 01 talking　02 made
03 waiting　04 walking
05 The children playing

C 01 The man wearing a black scarf
02 The guests invited to the party
03 novels written in Old English
04 the bottles filled with fresh goat milk
05 pictures painted in vivid colors

Lesson 02

A 01 stolen　02 burned[burnt]
03 leaning　04 Barking

B 01 growing　02 canceled
03 inspiring　04 satisfied
05 asked

C 01 The flowers delivered last week
02 The driver parking his truck
03 a building designed by the famous architect
04 the actors performing on the stage

Lesson 03

A 01 terrifying　02 annoying
03 amazed　04 surprised
05 exciting

B 01 dancing[dance]　02 play[playing]
03 sealed　04 exhausted
05 taken

C 01 enjoyed the interesting basketball game
02 get the door fixed
03 a special event for physically challenged athletes
04 have these files checked before 6
05 could feel her desk shaking

Lesson 04

A 01 Crossing　02 listening
03 Finishing　04 Being
05 Asking

B 01 After he won a gold medal
02 As they were excited about the school trip
03 While she was singing the song
04 Even though we live in Canada

C 01 Being seriously injured
02 Driving to work
03 Giving me a light hug
04 There being enough information

Lesson 05

A 01 Watching the movie
02 Observing it closely
03 Introduced at the meeting
04 Pleased with the result

B 01 Frightened　02 having
03 Known　04 Working
05 Being

C 01 Turning to the left
02 Written in an unknown language
03 Expected to arrive soon
04 Entering the hall full of his friends

Lesson 06

A 01 asked　02 staring
03 Having lost　04 requested
05 Being

B 01 Having known
02 Too shy to meet her
03 with her arms folded
04 When dealing with

C 01 When getting on the bus
02 with his tongue sticking out
03 Having read the book more than ten times
04 (Being) Too kind to say no

MEMO

MEMO

자르는 선